Palier 1 / Année 2

Katrin GOLDMANN

Professeur certifié – Académie de Versailles
Collège Martin Luther King, Buc
Coordinatrice GEP Langues et Audio-Lingua

Ulrike JACQUEROUD

Professeur certifié – Académie de Lyon
Collège Le Sacré-Cœur, Écully
Formatrice (CEPEC Lyon)

Nicole DUROT

Professeur agrégé – Académie de Versailles
Collège Claude Debussy, Saint-Germain-en-Laye
Formatrice
Docteur en Études Germaniques

Avec la participation de

Julie ROBERT

Professeur certifié – Académie de Versailles
Collège Martin Luther King, Buc

L'éditeur et les auteurs remercient les enseignants qui ont participés aux tests de ce manuel, ainsi que les enseignants relecteurs du manuscrit, en particulier Mme Myriam BOUTRY du Collège Maison Blanche à Clamart (92).

Édition : Andrea Schaeffler
Illustrations : Johanna Crainmark
Philippe Gady
Franziska Misselwitz (p. 117-121)
Céline Pesle
Alfonso Recio
Claude-Henri Saunier (*Comic*)
Recherche iconographique : Brigitte Hammond
Couverture : Christine Delaquaize
Conception graphique : Véronique Lefebvre – Brigitte Mougin
Mise en page : Brigitte Mougin

ISBN : 978-2-01-125678-2

www.hachette-education.com

Avant-propos

Ce nouveau ***kreativ*** palier 1 année 2 s'adresse aux élèves en deuxième année d'apprentissage et complète une collection qui existe déjà pour le palier 2. En s'impliquant dans des scénarios ancrés dans la vie quotidienne, l'élève est totalement acteur de son apprentissage. De plus, dans le cadre du parcours proposé, il est guidé étape par étape depuis le début jusqu'à la fin de son projet.

• Une progression en douceur pour donner confiance aux élèves

Ce manuel est organisé en deux parties et permet d'adapter la progression au rythme de l'année scolaire.

> Le *Buch 1* se compose de **quatre chapitres courts** (1 à 4) qui n'ont chacun qu'un seul scénario ; les deux premiers chapitres sont consacrés aux révisions des acquis de la première année.

> Le *Buch 2* réunit **quatre chapitres plus longs** (5 à 8) composés chacun de deux scénarios. Le chapitre 8 ne propose quant à lui plus de nouveau point de grammaire.

Les connaissances, afin d'être consolidées, sont réactivées en permanence tout au long du manuel.

• Une organisation claire pour donner des repères aux élèves et aux professeurs

Les activités sont conçues pour être faites dans l'ordre proposé afin de respecter la progression.

> Des **rubriques récurrentes** (*Sprachmusik, Sprich nach, Und jetzt du ...*) sont des repères et des rituels rassurants dans l'organisation du cours.

> Des « **boîtes** » clairement identifiables (*Vokabeln, Wortschatz aktiv, Grammatik*) signalent à l'élève ce qu'il doit apprendre et retenir.

• Une pédagogie actionnelle où l'activité langagière reste au centre de l'apprentissage

Dans toutes les activités proposées, activité langagière et acquisition de la langue restent la priorité. Le projet repose ainsi sur des tâches linguistiques avant tout. D'autre part, les projets proposés sont réalisables dans un temps court.

• Une utilisation raisonnée et adaptée des TICE

kreativ fait appel à l'utilisation des TICE à condition qu'elles apportent une véritable plus-value à la réalisation du projet.

• Des activités variées et ludiques pour apprendre en s'amusant

Jeux, mots croisés, mots mêlés, phrases secrètes, chansons et BD amuseront les élèves et augmenteront le plaisir d'apprendre l'allemand. Ces activités ludiques s'inscrivent aussi parfaitement dans la cohérence des apprentissages.

• Des outils pour construire l'apprentissage en classe et à la maison

kreativ donne à l'élève tous les **outils pour apprendre et réviser** correctement à la maison **ce qui a été traité en classe**. Les points de grammaire traités dans les chapitres et le précis grammatical sont dans un langage simple et se limitent à ce dont l'élève a besoin pour s'approprier le fait de langue. Chaque *Bilanz* en fin de chapitre permet de faire le point sur ce que l'élève a acquis et, le cas échéant, sur ce qu'il convient de réviser à nouveau.

Viel Spaß avec ce nouveau *kreativ* !

Les auteurs

kreativ

Palier 1 / Année 2

Voici comment s'organise

> Un manuel qui s'adapte à ton rythme d'apprentissage
des chapitres courts pour démarrer ton année (*Kapitel 1* à *4*) avec un seul scénario puis plus longs ensuite, avec deux scénarios par chapitre (deux *Szenen* du *Kapitel 5* au *Kapitel 8*). Les *Kapitel 1*, *2* et *8* sont des chapitres de révision.

Des « boîtes » t'indiquent clairement ce que tu dois apprendre :

Vokabeln

Pour chaque double page, tu as une boîte avec le vocabulaire de la leçon.

Wortschatz aktiv

Cette boîte est là pour t'aider à t'exprimer, à donner ton opinion et prendre la parole en te proposant des expressions « clés en main » !

Grammatik

Cet encart indique la liste des points de grammaire travaillés dans la leçon avec des renvois sur les pages de grammaire pour t'entraîner.

Le ***Sprich nach*** est enregistré sur ton CD pour t'aider à travailler la prononciation de sons spécifiques à l'allemand.

> Les leçons : Auf ins Training!

Sur ces pages, tu peux trouver un travail d'**écoute**, puis des activités de **répétition** (*Sprachmusik* et *Sprich nach*).

Entraîne-toi avec les dialogues *Und jetzt du ...* qui sont aussi enregistrés sur ton CD.

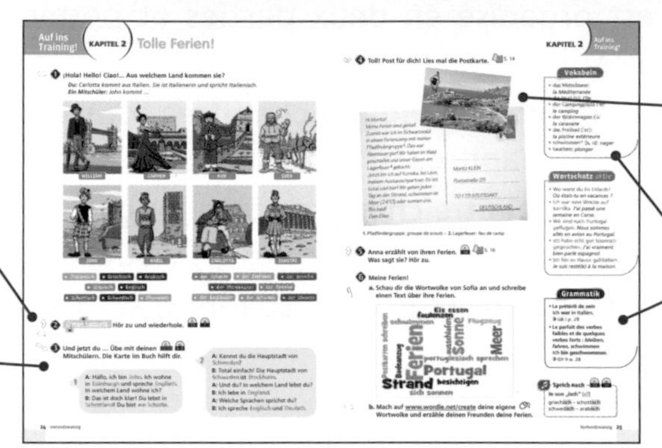

Les documents des leçons sont **diversifiés** (blogs, sites, brochures, textes, photos...)

Des boîtes de vocabulaire et de grammaire t'indiquent clairement **ce que tu dois apprendre** pour la réalisation des activités.

> En plus des leçons, tu trouveras dans les chapitres

Ouverture de chapitre

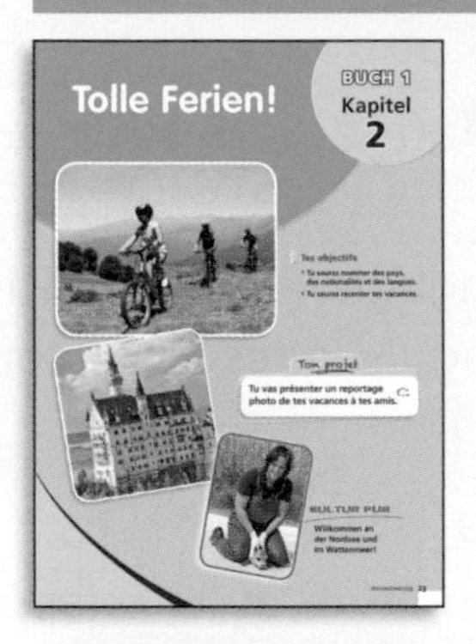

Le chapitre en un coup d'œil : les projets à réaliser, tes objectifs et les pages culturelles.

Grammatik

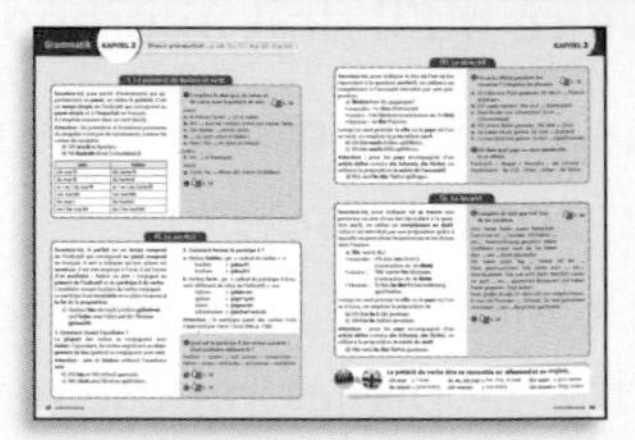

Chaque point mentionné dans les boites « *Grammatik* » est expliqué clairement et simplement. Des exercices accompagnent ces explications.

Allemand / Anglais

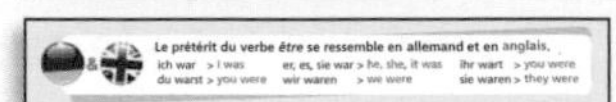

Tu apprends aussi l'anglais ? Regarde cette rubrique : tu verras que les ressemblances entre les deux langues sont nombreuses. Cela facilite ton apprentissage !

Comic

Un petite BD humoristique pour te détendre.

Que veulent dire les logos de ton manuel ?

Chacun des enregistrements est signalé par un logo.

 Quand il s'agit de ton CD, le numéro de piste est indiqué sur fond noir.

 Le logo rouge signifie qu'il s'agit d'enregistrements à écouter en classe.

 Ce logo signale qu'il est conseillé d'utiliser ton cahier d'activités.

 Ce logo signifie qu'il y a des extraits vidéo à regarder avec ton professeur.

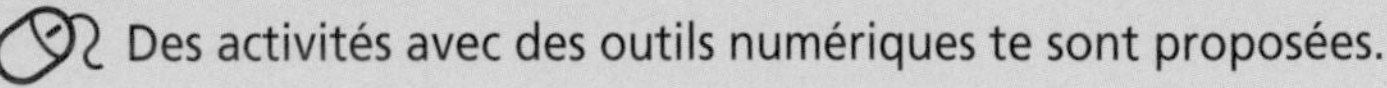

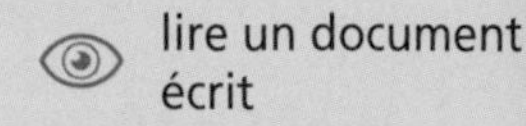

on manuel.

> **Des leçons en deux parties :**
D'abord dans le ***Auf ins Training***, des entraînements courts pour apprendre le lexique et les structures dont tu auras besoin dans la double page suivante ***Deine Aufgabe*** où les activités se suivent pour aboutir à la réalisation du projet annoncé.

Deine Aufgabe

Le **projet** que tu vas réaliser est annoncé dès l'entrée de la leçon.

Les étapes se suivent (chronologiquement) pour arriver à l'**étape finale**.

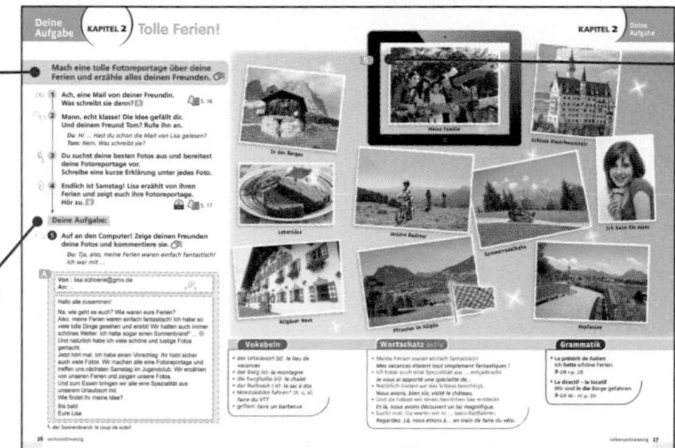

La lettre à côté d'un document t'indique clairement à quelle étape il est associé. Certains de ces documents sont des modèles pour t'aider à réaliser une production orale ou écrite.

À la fin de ton manuel :

- cinq pages pour découvrir des **contes et poèmes allemands**
- un **précis grammatical** et une **banque d'exercices corrigés**
- un **lexique** Allemand / Français et Français / Allemand

kreativ :

Spiel und Spaß

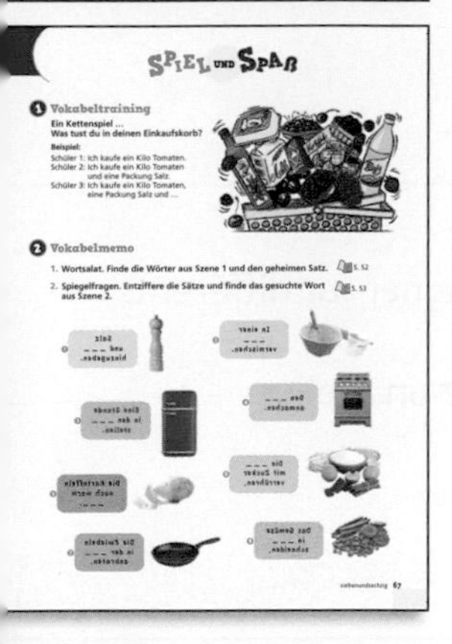

Pour réviser ton lexique, des jeux dans le cahier et le manuel.

Bilanz

Tu fais le bilan pour voir si tu as bien appris tout ce qui était nouveau dans le chapitre.

Kultur pur

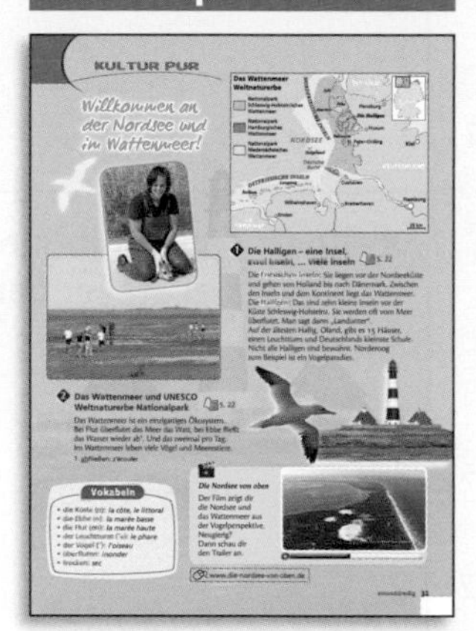

Tu découvriras différents aspects de la civilisation et la culture allemandes : la géographie et l'art, les traditions culinaires, le système scolaire, des sites touristiques.

Starporträt

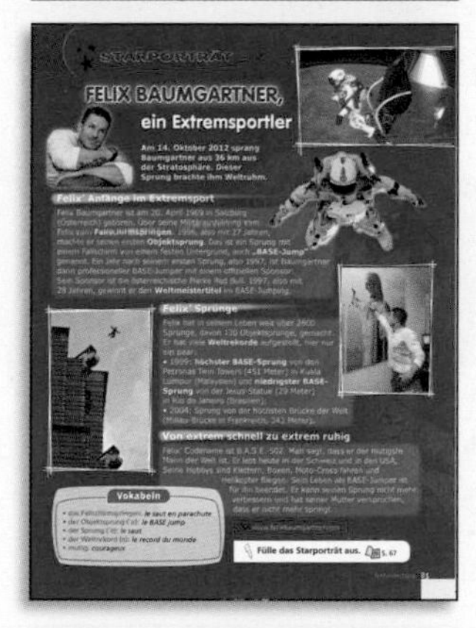

Tu feras la connaissance de personnalités germanophones de divers horizons : cinéma, sport, musique et politique.

parler en continu (monologue)

parler en interaction (dialogue)

écrire

Ton cahier d'activités :

Le cahier de *kreativ* t'accompagne pas à pas dans l'utilisation de ton manuel :

- Il est adapté à ton rythme d'apprentissage.
- Tu pourras l'utiliser à la maison et en classe : des jeux sont proposés pour réviser le lexique et tu trouveras également des exercices de grammaire en plus de ceux de ton manuel.
- Une exploitation est proposée pour toutes les rubriques de ton manuel, même le *Kultur pur* et le *Starporträt* !

Sommaire

BUCH 1

Thèmes Champs lexicaux	Grammaire	Culture et civilisation
LA PRÉSENTATION • La famille, les origines, les centres d'intérêts **Vokabel-Memo** Arbeitsheft S. 11	**RÉVISIONS** • La conjugaison au présent • Le groupe nominal à l'accusatif • Le groupe nominal au datif • La marque de l'adjectif épithète	**STARPORTRÄT** **Murat Topal** Vom Polizisten zum Komiker
LES VACANCES • Les pays, les nationalités, les langues, les spécialités **Vokabel-Memo** Arbeitsheft S. 21	**RÉVISIONS** • Le prétérit de *haben* und *sein* • Le parfait • Le directif • Le locatif	**KULTUR PUR** **Willkommen an der Nordsee und im Wattenmeer.**
LES ATELIERS AU COLLÈGE • la date et l'heure, les types d'ateliers **Vokabel-Memo** Arbeitsheft S. 32	• L'expression du temps • L'expression de l'heure • Les déterminants interrogatifs *welcher*, *welches* et *welche* • L'infinitif complément avec *zu*	**STARPORTRÄT** **Viona Harrer** Im Tor der Eishockey-Nationalmannschaft
LES ACTIVITÉS DE LOISIRS EXTRA-SCOLAIRES • le sport, la musique **Vokabel-Memo** Arbeitsheft S. 40	• Les mots composés • Le futur • L'interrogation indirecte	**KULTUR PUR** **Schule in Deutschland** **STARPORTRÄT** **Angela Merkel** Die erste deutsche Kanzlerin

Sommaire

BUCH 2

Thèmes Champs lexicaux	Grammaire	Culture et civilisation
LA NOURRITURE • La fête, l'invitation, l'amusement, le karaoké, les recettes de cuisine **Vokabel-Memo** S. 67 Arbeitsheft S. 52-53	• L'expression de la cause • Les verbes à particule • La déclinaison de l'adjectif épithète dans un groupe nominal	KULTUR PUR **Kaffe und Kuchen** Ein süßer Moment STARPORTRÄT **Cro** Ein deutscher Rapper
ACCIDENTS ET INCIDENTS • Les maladies, les accidents, la sécurité routière, le vélo, le vol, la description des personnes, le témoignage, le récit **Vokabel-Memo** S. 83 Arbeitsheft S. 65	• L'expression de la condition • L'expression de l'ordre et du conseil • Les prépositions mixtes • Le prétérit	KULTUR PUR **Der Römerpark in Xanten** STARPORTRÄT **Felix Baumgartner** Ein Extremsportler
LES CÉLÉBRITÉS • L'apparence, les cadeaux, la télévision, le cinéma, les stars, le foot, être fan **Vokabel-Memo** S. 99 Arbeitsheft S. 77-78	• Les verbes à double complément • Le superlatif • La proposition de subordonnée relative	KULTUR PUR **Land Art** Kunst in und mit der Natur STARPORTRÄT **Josefine Preuß** Eine Schauspielerin
LA FIN DE L'ANNÉE SCOLAIRE • Le voyage scolaire, le tourisme, les projets pédagogiques au collège **Vokabel-Memo** S. 113 Arbeitsheft S. 89-91	**Pas de nouveau point de grammaire afin de laisser toute latitude aux révisions personnalisées.**	KULTUR PUR **Der gute Vater Rhein** STARPORTRÄT **Mesut Özil** Ein Fußballspieler

Wie gut kennst du Deutschland?

Typisch deutsch! Was ist Nummer 4? Nummer 4 ist eine Brezel.

Die Hausaufgaben

BUCH 1

KAPITEL 1 Wer bist du?

S. 13

KAPITEL 2 Tolle Ferien!

S. 23

KAPITEL 3 Komm in unsere AG!

S. 33

KAPITEL 4 Und nach der Schule?

S. 43

Wer bist du?

BUCH 1
Kapitel 1

Tes objectifs

- Tu sauras te présenter et parler de tes centres d'intérêt.
- Tu sauras parler de ta famille et de tes origines.

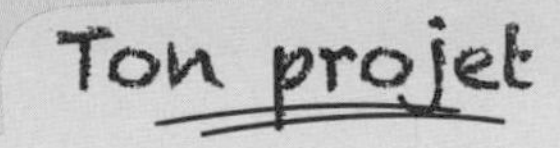

Tu vas parler à tes parents du nouvel élève.

STARPORTRÄT

Murat Topal
Vom Polizisten zum Komiker

KAPITEL 1 Wer bist du?

1 Wer sind sie? Was sagen sie? Hör zu. 1/2 S. 4

2 Sprachmusik Hör zu und wiederhole. 1/3 2

3 Und jetzt du … Übe mit einem Partner. 1/4-5 3-4

1

A: Hallo, ich bin Tim Müller. Ich bin 14 Jahre alt. Und wie heißt du?
B: Hallo, ich heiße Nina Meier. Ich gehe in die Klasse 7b. Und du?
A: Ich bin in der 8c. Bist du neu?
B: Ja, ich komme aus Hamburg.

2

A: Grüß dich. Wie heißt du?
B: Ich heiße Fabian. Ich bin neu.
A: Ach ja? Woher kommst du?
B: Ich komme aus Nordrhein-Westfalen, aus Dortmund.
A: Hast du Geschwister?
B: Ja, ich habe einen Bruder.

4 Wechselspiel  S. 5

Und jetzt ein Wechselspiel mit einem Partner.

5 Wer bin ich? Rate mal. Du kannst auch im Internet suchen.

1. Til Schweiger

2. Lena Lotzen

3. Cornelia Funke

4. Verona Feldbusch

5. Clueso

A Ich bin in Freiburg geboren. Mein Beruf[1] ist Schauspieler. Ich habe vier Kinder. Seit 2011 habe ich einen Stern[2] auf dem Boulevard der Stars in Berlin, am Potsdamer Platz. Meine erste große Rolle hatte ich im Film *Manta, Manta*.

1. der Beruf: *le métier*
2. der Stern: *l'étoile*

B Ich komme aus Bolivien. Mein Vater ist Deutscher, meine Mutter Bolivianerin. Später haben wir in Hamburg gewohnt. 1990 war ich Miss Hamburg. Ich bin heute ein Fernsehstar und arbeite auch in der Werbung[3].

3. die Werbung: *la publicité*

C Ich bin 1958 in Nordrhein-Westfalen geboren. Ich schreibe Bücher für Jugendliche. Meine Hobbys sind auch Filme sehen und Drachen sammeln[4]. Heute lebe ich in Los Angeles. Meine Bücher sind in der ganzen Welt bekannt, es gibt sie in 37 Sprachen.

4. Drachen sammeln: *collectionner des dragons*

D Ich bin am 11. September 1993 in Würzburg geboren. Seit ich fünf Jahre alt bin, spiele ich Fußball. Mein Verein ist der FC Bayern München, und ich spiele seit 2012 in der Nationalmannschaft. Wer bin ich?

E Ich komme aus Erfurt und bin ein deutscher Sänger und Rapper. Mein wirklicher Name ist Thomas Hübner, aber in der Musikszene heiße ich nicht so! 2011 habe ich eine Platin-Schallplatte für mein Album *An und für sich* bekommen.

Vokabeln

- das Haustier (e): *l'animal de compagnie*
- das Meerschweinchen (-): *le cochon d'Inde*
- Nordrhein-Westfalen: *la Rhénanie-du-Nord-Westphalie*
- Polen: *la Pologne*
- die Türkei: *la Turquie*
- seit (+ D): *depuis*

Wortschatz aktiv

- Woher kommst du? *D'où viens-tu ?*
- Ich bin in Frankreich geboren. *Je suis né(e) en France.*
- Er hat keine Geschwister. *Il n'a ni frère ni sœur.*
- Wir leben jetzt in Deutschland. *Nous vivons maintenant en Allemagne.*

Grammatik

- **L'accusatif**
  Ich habe kein**en** Bruder.
  › GR II p. 18
- **Le datif**
  Sag es dein**er** Schwester.
  › GR III p. 18

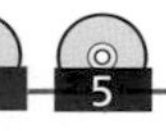

Sprich nach

le son „schw" [ʃv]

Schwester
Geschwister
Schweiz
Meerschweinchen

Deine Aufgabe

KAPITEL 1 Wer bist du?

Erzähle deinen Eltern von dem Neuen in deiner Klasse.

1 **Es klopft an der Klassentür. Was ist denn los? Hör zu.** 1 7 S. 6

2 **In der Pause. Los, du willst mehr über den Neuen erfahren. Ach, er erzählt ja gerade etwas … Hör zu!** A 1 8 S. 7

3 **Oh! Da hängt jetzt Akins Steckbrief! Schau ihn dir an.** B S. 7

Deine Aufgabe:

4 **Jetzt kennst du Akin gut. Erzähle deinen Eltern von dem Neuen.**

Du: Hallo Mama und Papa. Wisst ihr, wir haben einen neuen Schüler in der Klasse. Er ist total nett.

Mama: Ach, ja? Und wie heißt er?

Du: …

Vokabeln

- sich vorstellen: *se présenter*
- zweisprachig: *bilingue*
- türkisch: *turc*
- der Türke (n): *le Turc (personne)*
- die Türkin (nen): *la Turque (personne)*
- vorher: *avant*

B

Wortschatz aktiv

- Wir haben einen neuen Schüler in der Klasse.
  Nous avons un nouvel élève dans notre classe.
- Er spricht perfekt Deutsch und Türkisch.
  Il parle parfaitement l'allemand et le turc.
- Ich war früher in einer türkischen Schule.
  J'allais autrefois dans une école turque.
- Hier habe ich noch keine Freunde.
  Je n'ai pas encore d'ami ici.

Grammatik

- **L'adjectif épithète**
  Akin ist der neu**e** Schüler.
  › GR IV p. 19

I. La conjugaison au présent

Souviens-toi de la conjugaison des verbes au présent.

ich	mach**e**	wir	mach**en**
du	mach**st**	ihr	mach**t**
er / es / sie	mach**t**	sie / Sie	mach**en**

a) Ich mach**e** Hausaufgaben.
b) Er mach**t** Musik.
c) Sie mach**en** Fotos.

II. Le groupe nominal à l'accusatif

Souviens-toi, à l'accusatif, seul le déterminant masculin change et prend la marque ***-en***.

a) Ich habe kein**en** Bruder. → masculin
b) Ich habe ein**Ø** Meerschweinchen. → neutre
c) Ich habe ein**e** Schwester. → féminin
d) Ich habe kein**e** Geschwister. → pluriel
e) Ich habe **Ø** Haustiere. → pluriel

Attention, il n'existe pas de déterminant indéfini pluriel !

Le mot interrogatif ***wer*** change également et devient ***wen***. ***Was***, lui, ne change pas.

f) **Wen** hast du angerufen?
g) **Was** möchtest du essen?

Les **pronoms personnels** existent également à l'accusatif.

h) Ich möchte **dich** einladen.

	nominatif	accusatif
1re pers. singulier	ich	mich
2e pers. singulier	du	dich
3e pers. singulier	er / es / sie	ihn / es / sie
1re pers. pluriel	wir	uns
2e pers. pluriel	ihr	euch
3e pers. pluriel	sie / Sie	sie / Sie

1 Présente tous les membres de ta famille et tes animaux en suivant le modèle.

a. Ich habe einen Opa in Paris.
b. …

2 Remplace les éléments soulignés par les groupes nominaux suivant le modèle.

– Hast du die Mathehausaufgabe?
– Brauchst du sie?
– Ja, gib sie mir kurz.

a. die Deutschhausaufgabe **b.** das Englischbuch
c. der / ein Radiergummi **d.** der / ein Kugelschreiber
e. der Bioordner
f. das Französischheft

3 S. 8

RAPPEL

À quoi servent les cas ?

Les cas servent à identifier les fonctions des groupes nominaux (ou pronoms) dans la proposition.

- Le **nominatif** est le cas du sujet
- L'**accusatif** est le cas du complément d'objet premier.
- Le **datif** est le cas du complément d'objet second.
- Le **génitif** est le cas du complément du nom.

III. Le groupe nominal au datif

Souviens-toi, beaucoup de verbes allemands (comme *zeigen*, *schenken*, *sagen* ou *erzählen*) ont un deuxième complément qui désigne le bénéficiaire de l'action. **Le datif** est le cas qui permet de distinguer ce bénéficiaire.

a) Stelle dein**em** Vater den neuen Schüler vor.
b) Zeig **dem** Mädchen Akins Restaurant.
c) Sag es dein**er** Schwester.
d) Der Lehrer stellt Akin **den** Schüler**n** vor.

Certains verbes (comme *gefallen*) sont toujours suivis du datif.

e) Was gefällt dein**er** Schwester?

Le datif est aussi utilisé derrière certaines prépositions (*aus, bei, mit, nach, seit, von, zu*).

f) Akins Vater hat **mit** sein**er** Frau ein Restaurant.

L'article défini

	M	N	F	Pl
nominatif	der	das	die	die
accusatif	den	das	die	die
datif	dem	dem	der	den

Les pronoms personnels au datif

	singulier	pluriel
1re pers.	mir	uns
2e pers.	dir	euch
3e pers.	ihm / ihm / ihr	ihnen / Ihnen

4 Le professeur dit à Akin à qui il doit montrer différents objets. Complète en utilisant le datif, bien sûr ! S. 8

a. Akin, zeig ... bitte dein Restaurant. (deine Mitschüler)
b. Akin, zeig ... bitte dein Deutschheft. (ich)
c. Akin, zeig ... bitte die Postkarte aus der Türkei. (deine Nachbarin)
d. Akin, zeig ... bitte die Seite im Deutschbuch. (dein Nachbar)
e. Akin, zeig ... bitte die Unterschrift deiner Eltern. (die Direktorin)

5 S. 8

IV. La marque de l'adjectif épithète

L'adjectif qualificatif peut être attribut. Dans ce cas, il est invariable.

a) Akin ist **neu**.

L'**adjectif qualificatif** peut également se trouver **à l'intérieur** d'un groupe nominal. Dans ce cas, il est toujours placé avant le nom qu'il qualifie et porte une marque **que l'on appelle déclinaison**. On parle alors d'adjectif épithète.

b) Akin ist der neu**e** Schüler in der 7b.

Pour la marque faible de l'adjectif épithète, il n'y a que deux possibilités : ***-e*** ou ***-en***.

	masculin	neutre	féminin	pluriel
nominatif	der neu**e** Schüler	das neu**e** Buch	die alt**e** Oma	die neu**en** Freunde
accusatif	den neu**en** Schüler	das neu**e** Buch	die alt**e** Oma	die neu**en** Freunde
datif	dem neu**en** Schüler	dem neu**en** Buch	der alt**en** Oma	den neu**en** Freunde**n**

6 S. 9

7 Akin a enfin de nouveaux amis. Voilà leur après-midi. Complète avec les marques qui conviennent. Vérifie le genre et le nombre avant. S. 9

a. Akin lädt seine neu... Freunde ins Adana ein.
b. Alle Kinder haben groß... Hunger.
c. Die Jungen möchten eine kalt... Cola trinken und die Mädchen wollen lieber einen klein... Apfelsaft.
d. Nur Moritz möchte eine groß... Limonade.
e. Akin bestellt sofort die kalt... und warm... Vorspeisen.
f. Akins Vater bringt dann einen lecker... Döner für alle.
g. Und Akins Mutter kommt auch mit einem riesig... Teller Pommes Frites.
h. Eva möchte auch gerne eine rot... Paprika.
i. Akin macht schnell ein Foto von den neu... Freunden.

8 S. 10

Allemand et anglais, les membres de la famille.

Mutter > mother
Vater > father
Bruder > brother
Schwester > sister
Kind > child
Baby > baby
Onkel > uncle
Tante > aunt

Spiel und Spaß

1 Vokabeltraining S. 10

Mein Haustier

a. Wie heißen diese Tiere?

a. die Ratte (n)
b. der Hamster (-)
c. der Goldfisch (e)
d. der Hund (e)
e. die Maus (¨e)
f. die Schildkröte (n)
g. die Katze (n)
h. das Meerschweinchen (-)

b. Und jetzt du … Hast du ein Haustier?

A: Hast du ein Haustier?
B: Ja, ich habe einen Hund.
A: Toll! Ich habe leider keinen Hund.
Und wie heißt dein Hund?
A: Mein Hund heißt Wuffi.

2 Vokabelmemo S. 11

Comic

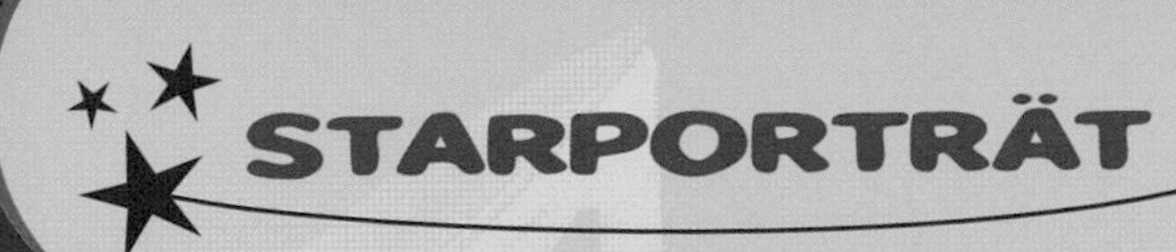

MURAT TOPAL

Vom Polizisten zum Komiker

Murat Topal ist 1975 in Berlin geboren. Seine Mutter ist Deutsche, sein Vater kommt aus der Türkei. Murat war nicht immer Komiker!

Er ist auf die Polizeischule gegangen und war von 1996 bis 2005 Polizist in Berlin Kreuzberg. Später hat er dann die Stunt- und Schauspielschule in Düsseldorf besucht.

Heute ist er Comedy-Künstler, aber seine Arbeit bei der Polizei hat ihm viel Inspiration für seine Shows gegeben. Er hat nämlich zuerst nur seinen Freunden komische Geschichten von seiner Polizeiarbeit erzählt. Seine Freunde haben gesagt, dass er Talent hat.

Murat Topal als Komiker und Kabarettist

Seine Karriere als Komiker hat in der Rolle als Kreuzberger Polizist 2004 begonnen. 2005 ist die Premiere seines ersten eigenen Programms „Getürkte Fälle – ein Cop packt aus".

Seine Shows haben immer einen großen Erfolg.

Der Komiker ist ein Multitalent, er ist auch Schauspieler und Stuntman und hat auch ein paar Bücher geschrieben:

- *Polizei für Anfänger*
- *Der Bülle von Kreuzberg*
- *Berlin. Ich hab noch einen Döner an der Spree*

Vokabeln

- der Komiker (-): *le comique*
- der Künstler (-): *l'artiste*
- der Auftritt (e): *l'apparition, l'entrée en scène*
- die Fernsehsendung (en): *l'émission de télévision*
- der Erfolg (e): *le succès*

 **Fülle das Starporträt aus.**  S. 11

Compréhension orale

   S. 12

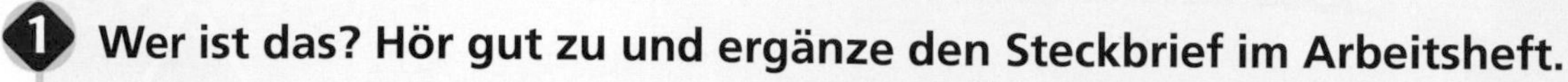

1 Wer ist das? Hör gut zu und ergänze den Steckbrief im Arbeitsheft.

→ Je suis capable de comprendre quelqu'un qui parle de sa famille, de ses origines et de ses centres d'intérêt.

Expression orale en interaction

2 Du möchtest mehr über die Neue erfahren. Stell ihr in der Pause Fragen.

→ Je suis capable d'interroger quelqu'un sur sa famille et ses centres d'intérêt.

→ Je suis capable de répondre à des questions sur ma famille et mes centres d'intérêt.

Expression écrite

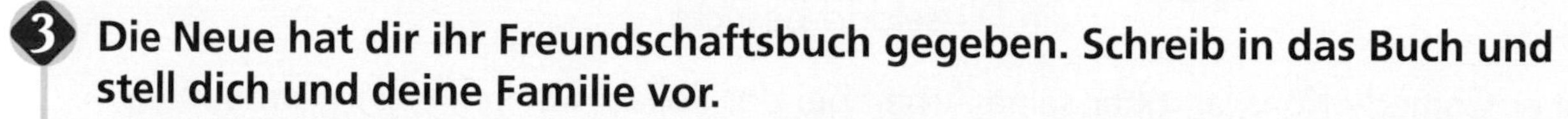

3 Die Neue hat dir ihr Freundschaftsbuch gegeben. Schreib in das Buch und stell dich und deine Familie vor.

→ Je suis capable de me présenter, de présenter ma famille et mes origines par écrit.

→ Je suis capable de présenter mes centres d'intérêt.

Compréhension écrite

 S. 12

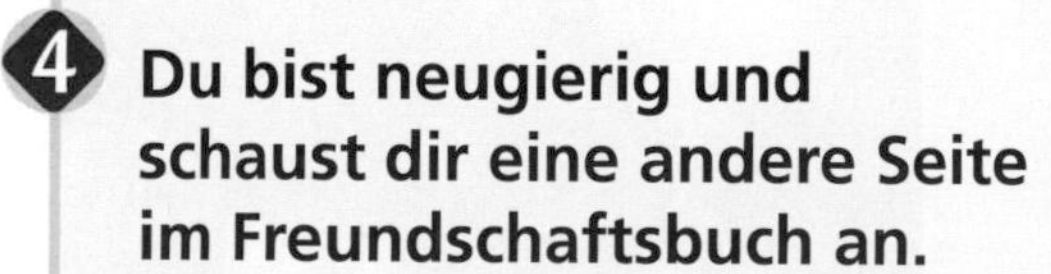

4 Du bist neugierig und schaust dir eine andere Seite im Freundschaftsbuch an.

→ Je suis capable de comprendre quelqu'un qui se présente à l'écrit.

Name: Brian
Geburtstag: 7. Juni
Geburtsort: London

Lieblingsfach: Englisch
Lieblingsessen: Currywurst mit Kartoffelsalat
Haustier: ein Papagei (Cora)
Meine Sprachen: perfekt zweisprachig (Englisch und Deutsch)
Meine Familie: Meine Mutter, Diana, ist Engländerin. Mein Vater, Markus, ist Deutscher. Ich habe englische und deutsche Großeltern. Meine englischen Großeltern wohnen in Manchester. Ich habe drei Geschwister. Zwei Schwestern (Lili und Leonie) und einen Bruder (Tom). Meine Schwestern nerven mich total.

Meine Hobbys: Ich mache viel Sport. Ich spiele Fußball und Tennis. Ich hasse aber Basketball. Ich lese nicht gern. Ich spiele auch oft am Computer. Ich tanze nicht gern und hasse Partys! Ich gehe oft ins Kino.

Expression orale en continu

5 Erzähle deinen Eltern beim Abendessen von der neuen Schülerin oder von Brian.

→ Je suis capable de présenter quelqu'un, sa famille et ses centres d'intérêt.

Tolle Ferien!

BUCH 1
Kapitel
2

Tes objectifs

- Tu sauras nommer des pays, des nationalités et des langues.
- Tu sauras raconter tes vacances.

Ton projet

Tu vas présenter un reportage photo de tes vacances à tes amis.

KULTUR PUR

Willkommen an der Nordsee und im Wattenmeer!

Tolle Ferien!

Mach eine tolle Fotoreportage über deine Ferien und erzähle alles deinen Freunden.

1 Ach, eine Mail von deiner Freundin. Was schreibt sie denn? A S. 16

2 Mann, echt klasse! Die Idee gefällt dir. Und deinem Freund Tom? Rufe ihn an.

Du: Hi … Hast du schon die Mail von Lisa gelesen?
Tom: Nein. Was schreibt sie?

3 Du suchst deine besten Fotos aus und bereitest deine Fotoreportage vor. Schreibe eine kurze Erklärung unter jedes Foto.

4 Endlich ist Samstag! Lisa erzählt von ihren Ferien und zeigt euch ihre Fotoreportage. Hör zu. B 1 16 S. 17

Deine Aufgabe:

5 Auf an den Computer! Zeige deinen Freunden deine Fotos und kommentiere sie.

Du: Tja, also, meine Ferien waren einfach fantastisch! Ich war mit …

A

Von : lisa.schoene@gmx.de
An: …

Hallo alle zusammen!

Na, wie geht es euch? Wie waren eure Ferien?
Also, meine Ferien waren einfach fantastisch! Ich habe so viele tolle Dinge gesehen und erlebt! Wir hatten auch immer schönes Wetter. Ich hatte sogar einen Sonnenbrand[1] … ☹
Und natürlich habe ich viele schöne und lustige Fotos gemacht.
Jetzt hört mal, ich habe einen Vorschlag: Ihr habt sicher auch viele Fotos. Wir machen alle eine Fotoreportage und treffen uns nächsten Samstag im Jugendclub. Wir erzählen von unseren Ferien und zeigen unsere Fotos.
Und zum Essen bringen wir alle eine Spezialität aus unserem Urlaubsort mit.
Wie findet ihr meine Idee?

Bis bald
Eure Lisa

1. der Sonnenbrand: *le coup de soleil*

In den Bergen

Leberkäse

Allgäuer Haus

Vokabeln

- der Urlaubsort (e): *le lieu de vacances*
- der Berg (e): *la montagne*
- die Berghütte (n): *le chalet*
- der Rucksack (¨e): *le sac à dos*
- Montainbike fahren* (ä, u, a): *faire du VTT*
- grillen: *faire un barbecue*

Meine Familie

Schloss Neuschwanstein

Ich beim Eis essen

Unsere Radtour

Sommerrodelbahn

Pfronten im Allgäu

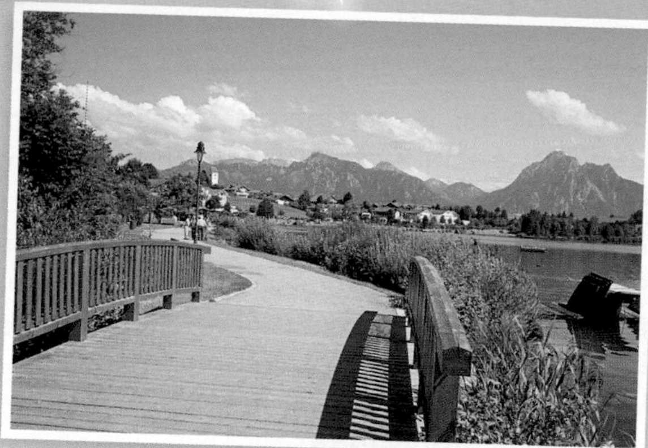
Hopfensee

Wortschatz aktiv

- Meine Ferien waren einfach fantastisch!
  Mes vacances étaient tout simplement fantastiques !
- Ich habe euch eine Spezialität aus … mitgebracht.
  Je vous ai apporté une spécialité de…
- Natürlich haben wir das Schloss besichtigt.
  Nous avons bien sûr visité le château.
- Und da haben wir einen herrlichen See entdeckt.
  Et là, nous avons découvert un lac magnifique.
- Guckt mal. Da waren wir in … beim Radfahren.
  Regardez. Là, nous étions à… en train de faire du vélo.

Grammatik

- **Le prétérit de *haben***
  Ich **hatte** schöne Ferien.
  › GR I p. 28
- **Le directif – le locatif**
  Wir sind **in die** Berge gefahren.
  › GR III - IV p. 29

 > **Précis grammatical :** I p. 130 - II p. 131 - III p. 125 - IV p. 125

I. Le prétérit de *haben et sein*

Souviens-toi, pour parler d'événements qui appartiennent au **passé**, on utilise le **prétérit**. C'est un **temps simple** de l'indicatif qui correspond au **passé simple** et à l'**imparfait** en français.
Il s'emploie souvent dans un récit (écrit).

Attention : les premières et troisièmes personnes du singulier n'ont pas de terminaison, comme les verbes de modalité.

a) Ich **warØ** in Spanien.
b) Ich **hatteØ** einen Sonnenbrand.

sein	haben
ich warØ	ich hatteØ
du war**st**	du hatte**st**
er / es / sie warØ	er / es / sie hatteØ
wir war**en**	wir hatt**en**
ihr war**t**	ihr hatt**et**
sie / Sie war**en**	sie / Sie hatt**en**

❶ Complète le dialogue de Julian et de Lukas avec le prétérit de *sein*. S. 18

JULIAN:
a. In meinen Ferien **...** ich in Italien.
b. Wir **...** dort bei meinem Onkel und meiner Tante.
c. Das Wetter **...** immer schön.
d. **...** du auch schon in Italien?
e. Nein? Wo **...** ihr dann im Urlaub?

LUKAS:
f. Wir **...** in Frankreich.

JULIAN:
g. Super. Da **...** dieses Jahr meine Großeltern.

❷ S. 18

II. Le parfait

Souviens-toi, le **parfait** est un **temps composé** de l'indicatif qui correspond au **passé composé** en français. Il sert à indiquer qu'une action est **terminée**. Il est très employé à l'oral. Il est formé d'un **auxiliaire** – *haben* ou *sein* – conjugué au **présent de l'indicatif** et du **participe II du verbe**.
L'auxiliaire occupe la place du verbe conjugué.
Le participe II est **invariable** et se place toujours **à la fin** de la **proposition**.

a) Gestern **bin** ich nach London **gefahren** und **habe** eine Fahrt auf der Themse **gemacht**.

1. Comment choisir l'auxiliaire ?

La **plupart** des verbes se conjuguent avec *haben*. Cependant, les verbes exprimant un **changement de lieu** (*gehen*) se conjuguent avec ***sein***.

Attention : ***sein*** et ***bleiben*** utilisent l'auxiliaire ***sein***.

b) Ich **bin** in Schottland gewesen.
c) Wir **sind** zwei Wochen geblieben.

2. Comment former le participe II ?

a. Verbes **faibles** : *ge-* + radical du verbe + *-t*.
kaufen > ge**kauf**t
kochen > ge**koch**t

b. Verbes **forts** : *ge-* + radical du participe II (souvent différent de celui de l'infinitif) + *-en*.
fahren > ge**fahr**en
gehen > ge**gang**en
essen > ge**gess**en
schwimmen > ge**schwomm**en

Attention : le participe passé des verbes forts s'apprend par cœur ! (voir liste p. 136)

❸ Quel est le participe II des verbes suivants ? Quel auxiliaire utilisent-ils ?
machen – spielen – sich sonnen – schwimmen – fahren – essen – einkaufen – ankommen – mitfahren

❹ S. 18

❺ S. 19

III. Le directif

Souviens-toi, pour indiquer le lieu **où l'on va** (en répondant à la question ***wohin?***), on utilisera un complément à l'accusatif introduit par une préposition.

a) **Wohin** bist du gegangen?
- masculin : in **den** Kletterpark
- neutre : in**s** Museum (contraction de in **das**)
- féminin : in **die** Pizzeria

Lorsqu'on veut préciser la **ville** ou le **pays** où l'on se rend, on emploie la préposition ***nach***.

b) Ich bin **nach** Italien gefahren.
c) Ich bin **nach** Köln gefahren.

Attention : pour les **pays** accompagnés d'un **article défini** comme ***die Schweiz***, ***die Türkei***, on utilisera la préposition ***in* suivie de l'accusatif**.

d) Wir sind **in die** Türkei geflogen.

6 Où es-tu allé(e) pendant tes vacances ? Complète les phrases.

S. 19

a. Ich habe eine Pizza gegessen. Ich bin in ... Pizzeria gegangen.
b. Wir waren klettern. Wir sind ... (Kletterpark)
c. Mein Bruder war schwimmen. Er ist ... (Schwimmbad)
d. Wir sind in Berlin gewesen. Wir sind ... (Zoo)
e. Sie haben Musik gehört. Sie sind ... (Konzert)
f. Du hast Sprachen gelernt. Du bist ... (Sprachschule)

7 Dis dans quel pays ou dans quelle ville tu es allé(e).

Frankreich – Neapel – Marokko – die Schweiz – Deutschland – die USA – Wien – Athen – die Türkei

IV. Le locatif

Souviens-toi, pour indiquer **où se trouve** une personne ou une chose (en répondant à la question ***wo?***), on utilise un **complément au datif**. Celui-ci est introduit par une préposition grâce à laquelle on peut situer les personnes et les choses dans l'espace.

a) **Wo** warst du?
- masculin : Ich war **am** Strand. (contraction de an **dem**)
- neutre : Wir waren **im** Museum. (contraction de in **dem**)
- féminin : Er hat **in der** Ferienwohnung geschlafen.

Lorsqu'on veut préciser la **ville** ou le **pays** où l'on se trouve, on emploie la préposition ***in***.

b) Ich bin **in** Köln gewesen.
c) Ich bin **in** Italien gewesen.

Attention : pour les **pays** accompagnés d'un **article défini** comme ***die Schweiz***, ***die Türkei***, on utilisera la préposition ***in* suivie du datif**.

d) Wir sind **in der** Türkei gewesen.

8 Complète le récit que fait Tom de ses vacances.

S. 20

Also, meine Ferien waren fantastisch. Zuerst war ich ... Spanien. Wir haben ... ein... Ferienwohnung gewohnt. Meine Großeltern waren auch da. Sie haben aber ... ein... Hotel geschlafen.
Wir waren jeden Tag ... Strand. Ich bin ... Meer geschwommen. Wir waren auch ... ein... Abenteuerpark. Das war echt stark! Natürlich waren wir auch ... ein... spanischen Restaurant und haben Paella gegessen. Total lecker!
Mein großer Bruder ist nicht mit uns mitgekommen. Er war mit Freunden ... Schweiz. Sie sind gewandert und haben ... ein... Berghütte geschlafen.

9 S. 20

Le prétérit du verbe *être* se ressemble en allemand et en anglais.

ich war > I was	er, es, sie war > he, she, it was	ihr wart > you were
du warst > you were	wir waren > we were	sie waren > they were

Spiel und Spaß

1 Vokabeltraining

1. Wie heißen die Länder? Frage einen Mitschüler.

Du: Wo ist Frankreich?

Ein Mitschüler: Total einfach! Frankreich ist hier, das ist die Nummer 3 neben Spanien und Deutschland.

Griechenland	Holland
Dänemark	Polen
Bulgarien	Irland
die Schweiz	Österreich
die Türkei	Frankreich
England	Belgien
Deutschland	Schottland
Spanien	

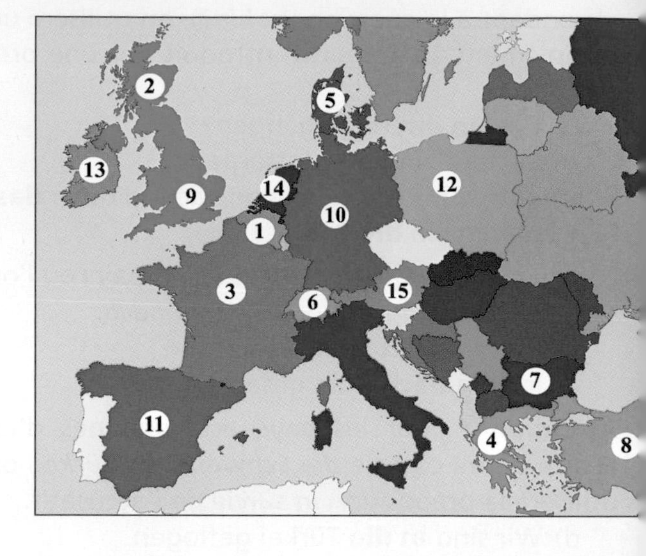

2. S. 21

2 Vokabelmemo S. 21

Comic

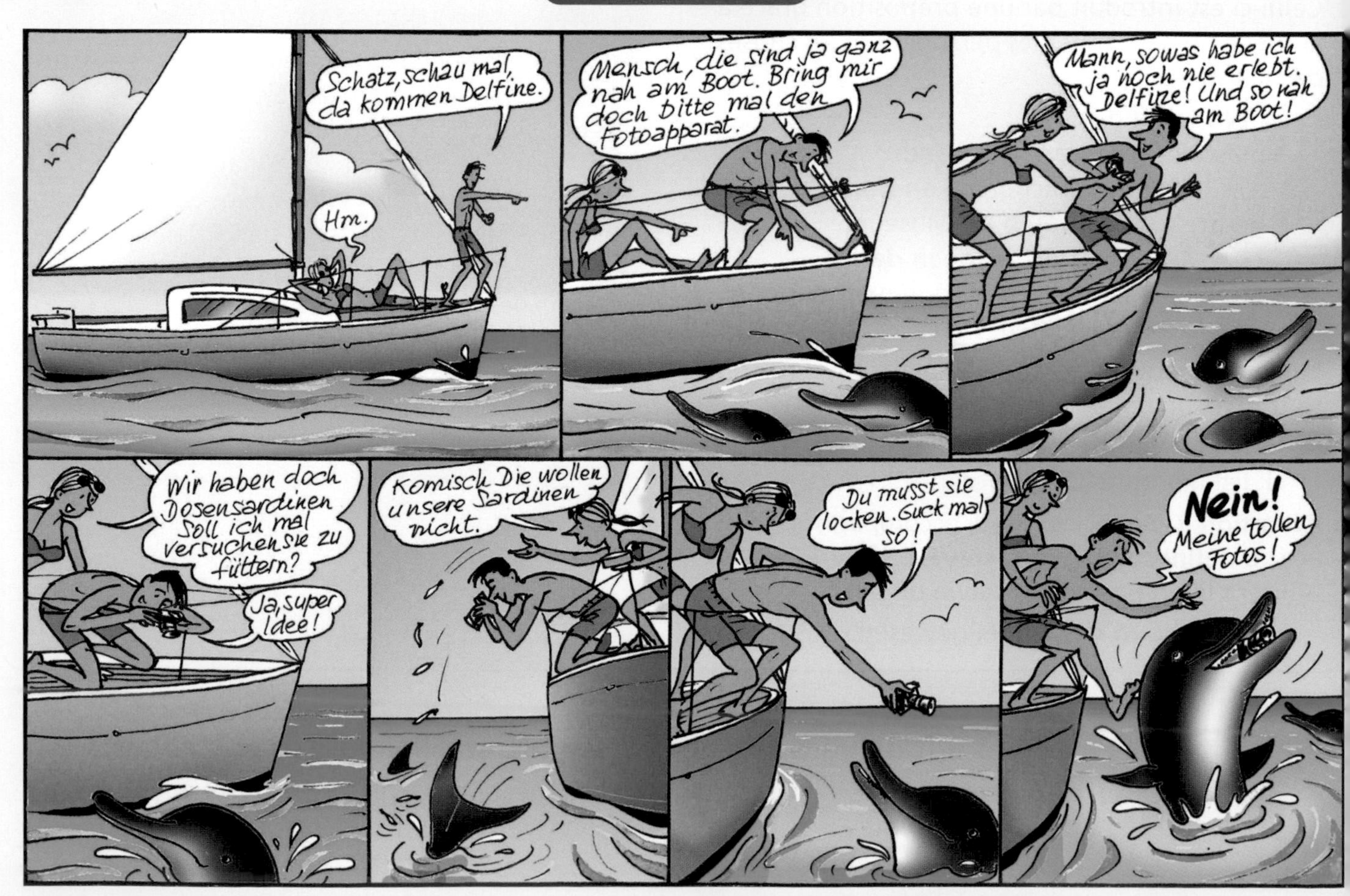

Willkommen an der Nordsee und im Wattenmeer!

1 Die Halligen – eine Insel, zwei Inseln, … viele Inseln

S. 22

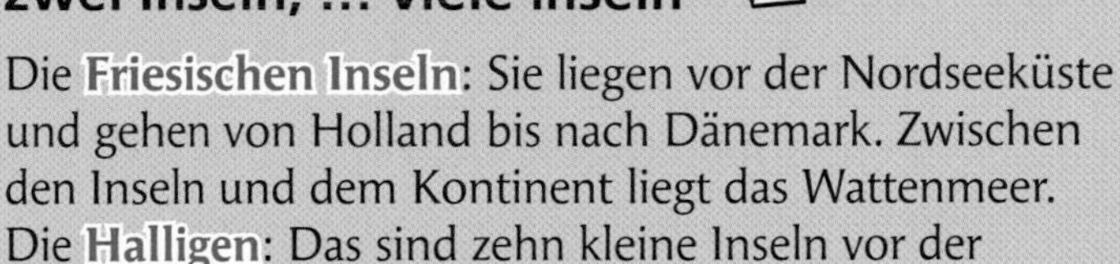

Die **Friesischen Inseln**: Sie liegen vor der Nordseeküste und gehen von Holland bis nach Dänemark. Zwischen den Inseln und dem Kontinent liegt das Wattenmeer.
Die **Halligen**: Das sind zehn kleine Inseln vor der Küste Schleswig-Holsteins. Sie werden oft vom Meer überflutet. Man sagt dann „Landunter".
Auf der ältesten Hallig, Oland, gibt es 15 Häuser, einen Leuchtturm und Deutschlands kleinste Schule.
Nicht alle Halligen sind bewohnt. Norderoog zum Beispiel ist ein Vogelparadies.

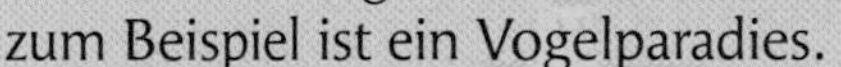

2 Das Wattenmeer und UNESCO Weltnaturerbe Nationalpark

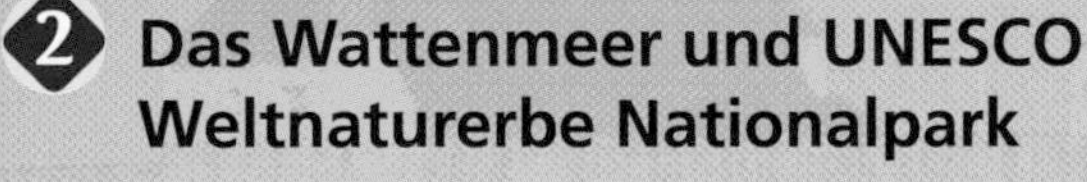

S. 22

Das Wattenmeer ist ein einzigartiges Ökosystem. Bei Flut überflutet das Meer das Watt, bei Ebbe fließt das Wasser wieder ab[1]. Und das zweimal pro Tag. Im Wattenmeer leben viele Vögel und Meerestiere.

1. abfließen: *s'écouler*

Vokabeln

- die Küste (n): *la côte, le littoral*
- die Ebbe (n): *la marée basse*
- die Flut (en): *la marée haute*
- der Leuchtturm (¨e): *le phare*
- der Vogel (¨): *l'oiseau*
- überfluten: *inonder*
- trocken: *sec*

Die Nordsee von oben

Der Film zeigt dir die Nordsee und das Wattenmeer aus der Vogelperspektive. Neugierig? Dann schau dir den Trailer an.

www.die-nordsee-von-oben.de

Compréhension orale

S. 22

Erster Schultag. Deine Freundin Clara erzählt von ihren Ferien. Hör ihr zu.

→ Je suis capable de comprendre quelqu'un qui raconte ses vacances.

Expression orale en continu

2 Jetzt bist du dran: Erzähle von deinen Ferien.

→ Je suis capable de raconter mes vacances.

 Expression orale en interaction

3 Oh, da kommt Lisa. Sie soll euch von ihren Ferien erzählen. Stellt ihr Fragen.

→ Je suis capable d'interroger quelqu'un sur ses vacances.

→ Je suis capable de répondre à des questions sur mes vacances.

Compréhension écrite

S. 23

Lisa hat auch eine Postkarte von Tim bekommen. Was schreibt er?

→ Je suis capable de comprendre un récit écrit sur les vacances de quelqu'un.

Liebe Lisa!
Ich bin auf der Insel Rügen auf einem Campingplatz. Du weißt doch, dass meine Eltern einen neuen Wohnwagen gekauft haben.
Unterwegs haben wir viele Städte besichtigt: Wir sind drei Tage in Dresden geblieben. Super Stadt, sage ich dir!
Leipzig und Potsdam haben mir auch sehr gut gefallen.
Jetzt entdecke ich die Ostsee.
Wir waren jeden Tag am Strand, nur gestern nicht. Gestern hatten wir schlechtes Wetter, es hat leider geregnet, aber heute ist es wieder sehr schön!
Bis bald!
Dein Tim

Lisa Klein
Esslingerstraße 25
70173 STUTTGART
DEUTSCHLAND

 Expression écrite

Zu Hause schreibst du Tim eine Mail und erzählst ihm deine Ferien.

→ Je suis capable d'écrire un court texte sur mes vacances.

Komm in unsere AG!

BUCH 1 Kapitel 3

Tes objectifs

- Tu sauras te renseigner sur différents ateliers.
- Tu sauras proposer un atelier.

Ton projet

Tu vas concevoir une affiche pour un nouvel atelier dans ton collège.

STARPORTRÄT

Viona Harrer
Im Tor der Eishockey-Nationalmannschaft

Komm in unsere AG!

1 Lust auf eine neue AG? Schau dir mal die Aushänge an.

S. 24

2 Echt toll! Noch mehr AGs. Lies das Infoblatt.

S. 24

Albert-Schweitzer-Realschule • Isarstraße 24 • 93057 Regensburg

INFOBLATT: neue AGs

Liebe Schülerinnen und Schüler!

Langeweile? Ohne uns!
Wie jedes Jahr könnt ihr euch in eine AG einschreiben. Schaut euch unser neues Angebot an. Es gibt viele tolle Vorschläge! Welche AG gefällt euch?
Natürlich gibt es unsere traditionellen Sport-AGs wie Handball und Volleyball.
Es gibt aber auch viele neue Ideen.
Die AGs finden am Nachmittag nach der Schule statt.

Für alle Technikfans gibt es eine Informatik-AG oder eine Werk-AG.
In der Werk-AG könnt ihr ein kleines Radio bauen.
Interessiert ihr euch mehr für Kunst? Dann kommt doch in die Manga- und Comic-AG. Da lernt ihr, tolle Mangas und Comics zu zeichnen.
Mehr Informationen bekommt ihr am Montag in der 6. Stunde in Raum 16.
Bis dann!

Euer Schülersprecher-Team

3 Wie viel Uhr ist es?

a. Wann ist die AG?

Die AG beginnt um …

zehn nach zwölf

Viertel nach eins

halb vier

Viertel vor zwei

zehn vor drei

b. Welche Uhrzeiten hörst du?    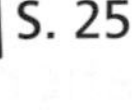 S. 25

4  Sprachmusik Hör zu und wiederhole.  

5 Und jetzt du … Übe mit einem Partner.  

1

A: Welche AG machst du?
B: Hm, die Comic-AG gefällt mir nicht.
A: Interessierst du dich für Sport?
B: Nein … Ich interessiere mich nicht so für Sport. Aber ich tanze gern.
A: Na, dann kannst du in die Hip-Hop-AG gehen!

2

A: Hallo! In welche AG möchtest du dich einschreiben?
B: Ich möchte mich in die Informatik-AG einschreiben.
A: Weißt du denn, von wann bis wann die Informatik-AG ist?
B: Ja, ich glaube sie ist donnerstags von zehn nach zwei bis fünf vor drei.

6 Drei Freunde diskutieren über ihre AGs. Hör zu.

  S. 25

Vokabeln

- die Arbeitsgemeinschaft (en) / AG (s): *l'atelier*
- das schwarze Brett: *le panneau d'affichage*
- der Aushang (¨e): *l'affichage*
- die Anmeldung (en): *l'inscription*
- basteln: *bricoler*
- stattfinden (a, u): *avoir lieu*

Wortschatz aktiv

- Ich interessiere mich total für Informatik. *Je m'intéresse un max à l'informatique.*
- In welche AG willst du dich einschreiben? *À quel atelier veux-tu t'inscrire ?*
- An welchem Tag ist die Werk-AG? *Quel jour a lieu l'atelier de techno ?*
- Du brauchst folgendes Material … *Tu as besoin du matériel suivant…*

Grammatik

- **L'expression du temps et de l'heure**
  Die AG ist **donnerstags von** 13 Uhr 45 **bis** 14 Uhr 30.
  › GR I-II p. 38
- **Les déterminants interrogatifs *welcher, welches* et *welche***
  Welche AG gefällt dir?
  › GR III p. 39

 **Sprich nach** 

le son „an" [an]

tanzen – Handtuch – Angebot – Handball

Komm in unsere AG!

Schreibt ein Informationsplakat und werbt für eure AG.

1 **Ach, eine Nachricht von deinem Freund. Was schreibt er denn?** A

2 **Klar, du bist begeistert und hast auch eine Idee. Antworte deinem Freund.**

3 **Endlich Montag! Ihr bekommt mehr Informationen. Hört zu.**

1 25 S. 26

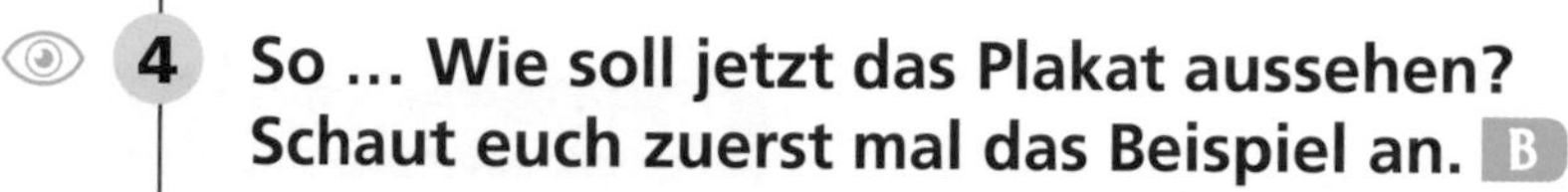

4 **So ... Wie soll jetzt das Plakat aussehen? Schaut euch zuerst mal das Beispiel an.** B

S. 27

5 **Und ihr? Welche AG wollt ihr vorschlagen? Die Check-Liste hilft euch.** C

Du: *Also, welche AG möchtest du vorschlagen?*
Dein Freund: *Ich schlage vor, eine ... zu organisieren.*
Du: *Ja! Das gefällt mir! Wir ...*

Deine Aufgabe:

6 **Nun ist alles klar. Ihr könnt euer Informationsplakat schreiben.**

Kunst-AG

Tischtennis-AG

Theater-AG

A

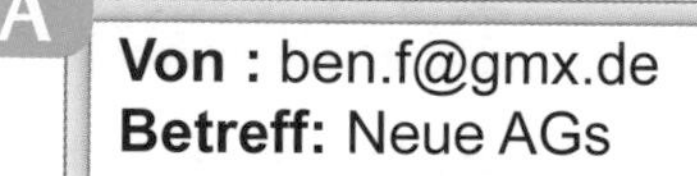

Von : ben.f@gmx.de
Betreff: Neue AGs

Hallo!

Ich hoffe, dass du es nicht vergessen hast. Am Montag ist das Informationstreffen für die neuen AGs. Alle Schüler können Vorschläge machen. Hast du Lust, auch zu kommen? Ich habe vor, eine neue AG vorzuschlagen. Wir können versuchen, die AG zusammen zu organisieren.
Sicher bekommen wir am Montag mehr Informationen.
Antworte mir schnell!

Dein Ben

Vokabeln

- das Informationsplakat (e): *l'affiche*
- der Schulchor (¨e): *la chorale de l'école*
- für etwas werben (i, a, o): *faire de la publicité pour...*
- auswählen: *choisir*
- kostenlos sein: *être gratuit*

B

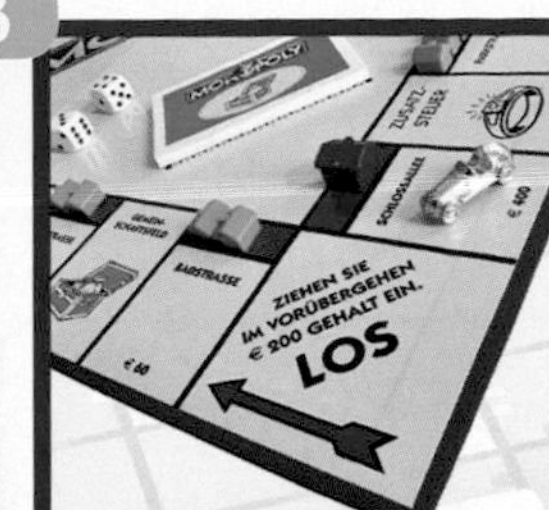

Spiele-AG

Macht es dir Spaß, Gesellschaftsspiele zu spielen? Bist du ein Fan von Mensch ärgere dich nicht, Monopoly oder Pictionary?

Dann bist du hier total richtig!

Unsere AG ist für alle Schüler (maximal 20 Personen). Sie findet jeden Dienstag in Raum 27 von 12 Uhr 45 bis 13 Uhr 30 statt. Und sie ist natürlich kostenlos! Die Einschreibung ist nächsten Dienstag, um 12 Uhr 30 in Raum 27. Welches Material braucht ihr? Na, das ist doch klar! Bringt einfach eure Lieblingsspiele mit … und dann kann's losgehen!

Wir freuen uns, euch bald in unserer AG zu sehen!

Luisa und Moritz

Also denkt dran: Spiel und Spaß in der Spiele-AG!

Rock-Gruppe

Schreibatelier

Schach-AG

C

CHECK-LISTE

Wie mache ich mein Werbeplakat?

- ☒ Name der AG?
- ☒ Werbespruch?
- ☒ Für wen?
- ☐ Wie viele Personen?
- ☐ Wann?
- ☐ Um wie viel Uhr?
- ☐ Wo?
- ☐ Material?
- ☐ Wer organisiert die AG?
- ☐ Anmeldung?

Wortschatz aktiv

- Ich schlage vor, eine Rock-AG zu organisieren.
  Je propose d'organiser un atelier rock.
- Unsere AG ist für maximal 15 Schüler.
  Notre atelier est pour 15 élèves maximum.
- Hast du Lust, in unsere Leichtathletik-AG zu kommen?
  As-tu envie de venir à notre atelier d'athlétisme ?
- Wir freuen uns, euch in unserer AG zu sehen.
  Nous serons heureux de vous accueillir dans notre atelier.
- Schreibt euch bei uns ein. *Inscrivez-vous chez nous.*

Grammatik

- **L'infinitif complément avec *zu***
  Ich schlage vor, eine neue AG **zu organisieren.**
  › GR IV p. 39

 › Précis grammatical : I p. 125 - II p. 125 - III p. 124 - IV p. 133

I. L'expression du temps

Pour indiquer **un jour, une partie de la journée ou une date précise**, on utilise *am* (*an* + *dem* = *am*).

a) Die Kino-AG ist **am** Montag.
b) Die AGs finden **am** Nachmittag statt.
c) **Am** 17. September ist das erste Treffen.

Pour indiquer **qu'un événement se produit toujours le même jour, au même moment, avec régularité**, on utilise des adverbes tels que *dienstags* ou *nachmittags*.
Dienstag → dienstag**s**
Nachmittag → nachmittag**s**

d) Die Kunst-AG findet **dienstags** statt.
e) Alle AGs sind **nachmittags**.

On peut également utiliser le déterminant *jeder* (masculin), *jedes* (neutre), *jede* (féminin) = « chaque ». Dans ce contexte, on le met toujours à l'accusatif. Il se décline comme l'article défini (voir p. 19).

f) Die Chor-AG findet **jeden** Mittwoch statt.
g) **Jedes** Jahr gibt es die Sport-AG.

Wann (quand ?) sert à poser des questions sur le temps.

h) **Wann** ist die Handball-AG? – Sie ist **am** Dienstag.

1 **Présente ton emploi du temps en suivant le modèle.**
Am Montag habe ich Bio, Mathe …

2 **Quand les ateliers ont-ils lieu ? Complète les phrases ci-dessous en utilisant différents types de compléments.** S. 27

	Montag	Mittwoch	Donnerstag	Samstag
8 Uhr – 12 Uhr 55	Unterricht	Unterricht	Unterricht	Ø
14 Uhr – 16 Uhr 45	Kino-AG	Chor-AG	Yoga-AG	Ø

a. Die Kino-AG ist **…** .
b. Die Sänger können **…** in die Chor-AG gehen.
c. Die gestressten Schüler können **…** in die Yoga-AG gehen.
d. Alle AGs finden **…** statt, denn **…** haben die Schüler Unterricht.
e. **…** findet keine AG statt, denn die Schüler haben keine Schule.

3 S. 28

4 **Présente par écrit le programme des différents ateliers de ton collège.**

II. L'expression de l'heure : *Wie viel Uhr ist es?*

Pour dire **à quelle heure commence un événement, on fait précéder l'indication horaire de la préposition *um*.**

a) Die AG beginnt **um** 13 Uhr.

Cette phrase répond à la question : ***Um wie viel Uhr*** / ***Wann*** *beginnt die AG?*

Si l'on veut donner **l'heure de début et de fin d'un événement,** on utilise **les prépositions *von* et *bis*.**

b) Die AG dauert **von** 14 Uhr 45 **bis** 15 Uhr 45.

Cette phrase répond à la question : ***Von wann bis wann*** / ***Wie lange*** *dauert die AG?*

5 – **6** S. 28-29

7 **Pose la question se rapportant au groupe souligné.**

a. Die Orchester-AG dauert <u>von 14 Uhr 10 bis 15 Uhr 45.</u>
b. Am 16. September müsst ihr euch <u>um 13 Uhr 30</u> anmelden.
c. Am 12. Dezember geben wir ein Weihnachtskonzert. Es beginnt <u>um 19 Uhr</u>.
d. Es dauert <u>von 19 Uhr bis 21 Uhr</u>.
e. <u>Um 22 Uhr</u> seid ihr dann alle zu Hause.

III. Les déterminants interrogatifs *welcher, welches* et *welche*

Welcher*, *welches*, *welche correspondent aux mots français *(le)quel, (la)quelle, (les)quels, (les)quelles*.

a) **Welcher** Schüler organisiert die AG?
b) **Welches** Material brauchst du?
c) **Welche** AG gefällt dir denn?
d) **An welchem Tag** findet die AG statt?

Ils prennent les mêmes terminaisons que l'article défini (voir p. 19).

Le groupe avec *welch-* introduit une phrase interrogative : il se trouve donc en début de phrase.

8 Complète la question se rapportant aux mots soulignés en utilisant l'interrogatif *welch-* décliné. S. 29

a. Die Werk-AG ist neu. → **...** AG ist neu?
b. Maya findet die Theater-AG super. → **...** AG findet sie super?
c. Der neue Schüler will sich in die Yoga-AG einschreiben. → **...** Schüler will sich in die Yoga-AG einschreiben?
d. Die neuen AGs sind super. → **...** AGs sind super?
e. Am (= *an dem*) schwarzen Brett findet ihr den Aushang. → An **...** Brett hängt der Aushang?

9 – **10** S. 30

IV. L'infinitif complément avec *zu*

Un certain nombre de verbes – associés ou non à des adjectifs ou des noms – peuvent s'utiliser avec un verbe à l'infinitif. Cet infinitif est le complément du verbe conjugué ; il est introduit par ***zu***.

a) Ich hoffe, viele Schüler in der AG **zu** sehen.
b) Ich habe Lust, in die Theater-AG **zu** gehen.
c) Ich freue mich mit**zu**machen.

Le verbe *mitmachen* étant un verbe à particule séparable, *zu* s'intercale alors entre la particule *mit* et l'infinitif *machen*.

RAPPEL

L'infinitif avec les verbes de modalité

Les verbes de modalité s'utilisent aussi avec un infinitif, mais celui-ci n'est pas introduit par *zu* !

– Ich will mich in die Sport-AG **Ø** einschreiben.
– Dann musst du dich am 13. September **Ø** anmelden.

11 – **12** S. 31

13 Choisis parmi les ateliers et les activités de l'association sportive de ton collège trois activités que tu aimes et trois activités que tu n'aimes pas. Exprime-le !

Es gefällt mir nicht, in die Handball-AG zu gehen.

Expressions à utiliser :
– ich möchte (nicht)
– es gefällt mir (nicht)
– ich will (nicht)
– es macht mir (keinen) Spaß
– ich habe (nicht) vor
– ich freue mich (nicht)

L'heure en allemand et en anglais.

Es ist Viertel nach acht.
> It's a quarter past eight.

Es ist halb neun.
> It's a half past eight.

Es ist Viertel vor neun.
> It's a quarter to nine.

Spiel und Spaß

1 Vokabeltraining

Welche AGs sind das?
Frage einen Mitschüler.

Du: In welche AG gehen die Schüler auf Bild Nummer 3?

Ein Mitschüler: Sie gehen in die Yoga-AG.

1

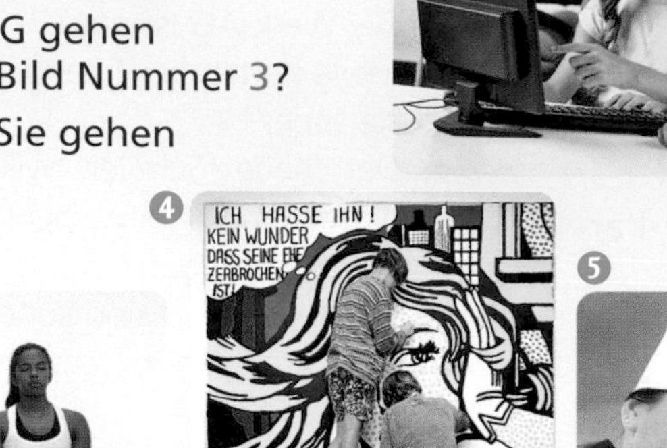

2

4

3

5

6

2 Vokabelmemo

S. 32

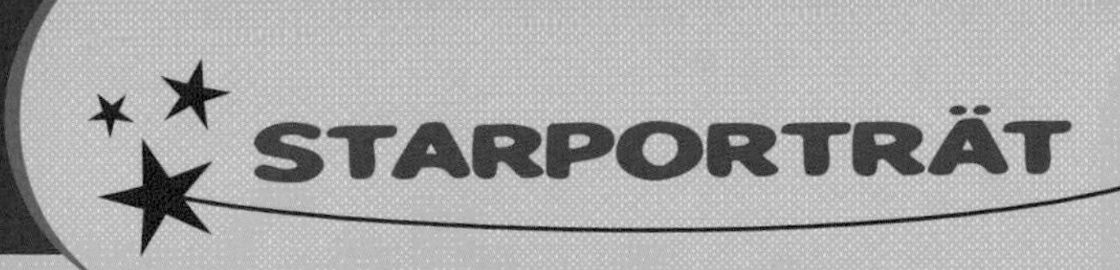

Viona Harrer

m Tor der Eishockey-Nationalmannschaft

Klein, aber oho!

ie ist nur 1 m 68 groß und wiegt nur 55 kg. Aber sie spielt so gut
ishockey, dass sie mit den Männern spielen kann!
/iona Harrer ist Torhüterin in der Damen-Nationalmannschaft
ınd steht auch in der Herrenmannschaft vom EC Bad Tölz im Tor.
Natürlich trainiert sie hart, mehr als die Männer.
eden Tag macht Viona im Kraftraum Muskeltraining.

Eishockey, eine lange Familientradition ...

Opa Hans und Vionas Vater waren schon Eishockeyspieler. Schon mit fünf Jahren
trainierte Viona mit den Jungen des SB Rosenheim, denn es gab keine Mädchenmannschaft!
Viona hat schon über 134 Länderspiele gespielt und an acht Weltmeisterschaften teilgenommen.
Mit 17 Jahren hat sie zum ersten Mal bei einer WM mitgemacht!

Vokabeln

- das Eishockey: *le hockey sur glace*
- der Torhüter (-) / die Torhüterin (nen): *le (la) gardien(ne) de but*
- der Kraftraum (¨e): *la salle de musculation*
- die Mannschaft (en): *l'équipe*
- die Weltmeisterschaft (en) / WM: *la coupe du monde*
- fangen (ä, i, a): *attraper*

Viona als Spielerin und privat

Viona ist am 5. November 1986 in Rosenheim (Bayern) geboren. Sie ist Torfrau und fängt mit der linken Hand. Ihre Spitznamen sind „Viffi" oder „Katze". Ihre Hobbys sind lesen, kochen, in den Bergen wandern und shoppen. Make-up oder Lippenstift hat Viona fast nie. Abends geht sie manchmal in die Disco oder ins Kino.

1. Fülle das Starporträt aus.  S. 33

2. Interviewspiel: Du bist Journalist, dein Partner ist Viona Harrer. Mache ein Interview.

A1/A2

Compréhension orale

S. 33

1 **Der Lehrer gibt euch Informationen über die Schul-AGs. Hör ihm zu.**

→ Je suis capable de comprendre des informations sur des ateliers.

Compréhension écrite

S. 34

2 **Schnell ans schwarze Brett! Lies die Aushänge.**

→ Je suis capable de comprendre un texte informatif sur les modalités d'un atelier.

Expression orale en interaction

3 **Welche AG gefällt deinem Freund? Frag ihn.**

→ Je suis capable d'échanger avec quelqu'un sur ses goûts et ses choix concernant un atelier.

Expression orale en continu

4 **Du hast eine viel bessere Idee. Welche AG schlägst du vor?**

→ Je suis capable de proposer un nouvel atelier et d'en indiquer les modalités.

Expression écrite

5 **Schreib jetzt dein Informationsplakat für deine AG.**

→ Je suis capable de rédiger une annonce pour un nouvel atelier.

Und nach der Schule?

BUCH 1
Kapitel
4

Tes objectifs

- Tu sauras proposer une activité et réagir à une proposition.
- Tu sauras comparer des activités et justifier ton choix.
- Tu sauras parler des activités que tu as l'intention de faire.

Ton projet

Tu vas discuter avec tes parents de ton futur programme d'activités extrascolaires.

KULTUR PUR

Schule in Deutschland

STARPORTRÄT

Angela Merkel
Die erste deutsche Kanzlerin

Und nach der Schule?

1 Wer hat welches Hobby? Lies die Texte und ordne sie dem richtigen Foto zu.

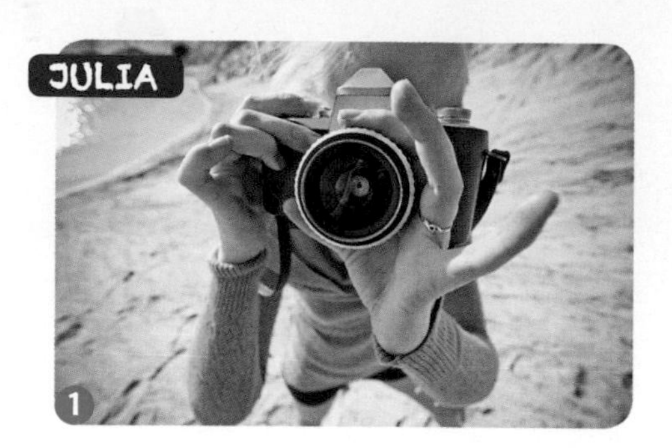

Ⓐ Rhythmus total! Das ist meine Devise. Ich übe jeden Tag. Ich spiele Schlagzeug in einer Rockband.

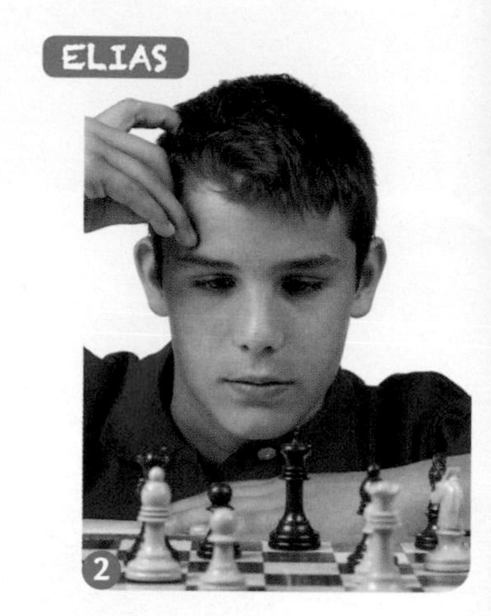

Ⓑ Mein Hobby ist Fotografieren. Ich gehe jeden Donnerstag in einen Fotokurs. Wir machen tolle Fotos.

Ⓒ Ich bin Mitglied in einem Rennradverein. Jedes Wochenende machen wir tolle Touren durch die Natur. Und in der Woche fahre ich mit dem Fahrrad zur Schule, das ist mein Training.

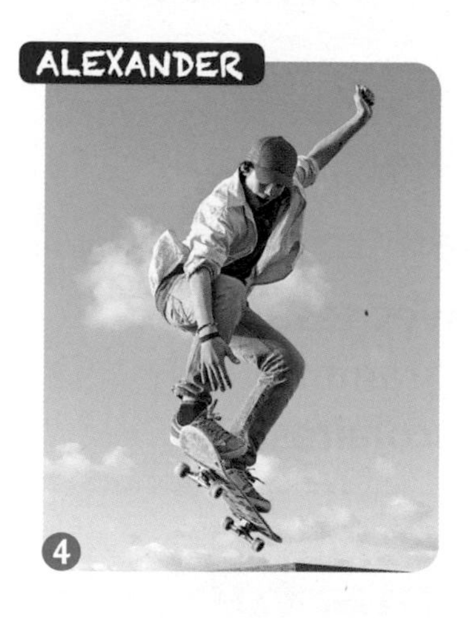

Ⓓ Ich mache viel Sport: Laufen, Schwimmen, Volleyball. Mein Lieblingssport ist aber Tischtennis. Ich war dieses Jahr beim NRW-Talent-Cup. Das ist das größte deutsche Tischtennisturnier für Jugendliche.

Ⓔ Ich spiele am liebsten Schach. Ich gehe in einen Schachclub. Da machen wir oft Turniere. Einmal habe ich sogar gewonnen!

Ⓕ Skaten ist für mich das beste Hobby! Ich gehe jeden Tag nach der Schule in den Skatepark und trainiere. Am besten kann ich den Flip-Trick.

2 

Hör zu und wiederhole. 

3 Du möchtest ein Musikinstrument lernen. Aber welches? Lies den Prospekt.

S. 35

TAG DER OFFENEN TÜR IN DER MUSIKSCHULE HARMONIE IN DORTMUND

Hast du Lust, ein Musikinstrument zu lernen? Aber du weißt noch nicht welches? Dann komm zu unserem Tag der offenen Tür!

Schüler aus der Musikschule zeigen dir ihre Instrumente. Du kannst ihnen deine Fragen stellen. Und natürlich kannst du auch die Instrumente ausprobieren. Der Musikunterricht ist immer **nachmittags ab 16 Uhr.** Du kannst dein Instrument einzeln oder in kleinen Gruppen (3-5 Schüler) lernen. Unser Unterricht ist praxisorientiert und kreativ.

Die Einschreibungen beginnen nächsten Samstag.

Mehr Infos (genaue Kurszeiten + Preise) gibt es auf unserer Homepage http://www.harmonie-musikschule.de

die Trompete (n)

das Cello (s)

das Schlagzeug (e)

die Geige (n)

das Keyboard (s)

Vokabeln

- üben (Instrument) / trainieren (Sport): *s'entraîner*
- reiten* (ritt, geritten): *faire du cheval*
- fechten: *faire de l'escrime*
- zeichnen: *faire du dessin*
- Rad / Fahrrad fahren* (ä, u, a): *faire du vélo*
- die Querflöte (n) : *la flûte traversière*

Wortschatz aktiv

- Was machst du in deiner Freizeit? *Que fais-tu pendant ton temps libre ?*
- Ich spiele seit drei Jahren Klavier. *Je fais du piano depuis trois ans.*
- Ich gehe zweimal pro Woche in den Ballettunterricht. *Je vais au cours de danse classique deux fois par semaine.*
- Hast du Lust, mit mir in die Gymnastik zu gehen? *As-tu envie d'aller à la gym avec moi ?*

4 Was machen sie in ihrer Freizeit? Drei Jugendliche erzählen. Hör zu.

S. 35

5 Und jetzt du … Übe mit einem Partner.

A: Du, hör mal! Ich mache dieses Jahr einen Jonglierkurs. Hast du auch Lust, einen Jonglierkurs zu machen?

B: Ich weiß nicht. Aikido gefällt mir besser.

A: Ja, aber Aikido interessiert mich nicht. Vielleicht können wir dann zusammen in den Gymnastikclub gehen?

B: Ja, gute Idee! Gymnastik macht mir Spaß.

Grammatik

- **Les mots composés**
  der Ballettunterricht – die Musikschule – das Fahrrad – die Freizeit
  › GR I p. 48

6

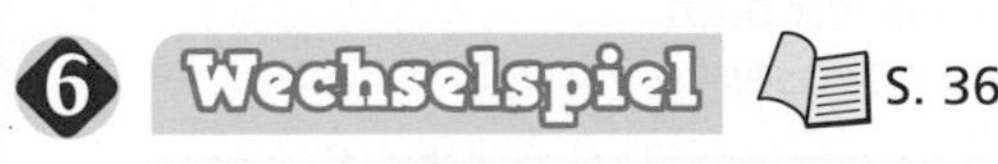

S. 36

Wer macht was und wann?

le son „g" [g]

Geige – Gymnastik – Frage – gewinnen

Und nach der Schule?

Erzähle deinen Eltern von deinem zukünftigen Freizeitprogramm.

1 **Ach, dein Vater. Was will er denn so früh von dir?** 
S. 36

2 **Nun denn … Wie ist das Freizeitangebot in deiner Stadt Dortmund? Schau dir die Prospekte an.** A B C D 
S. 37

3 **Tja, es gibt so viele interessante Angebote. Aber du möchtest ja etwas mit Freunden machen. Schreib einem Freund eine E-Mail.**

> Hallo …,
> ich lese gerade ein paar Prospekte über Freizeitangebote. Ich habe schon viele interessante Sachen entdeckt. Ich glaube, ich werde …

4 **Dein Handy klingelt. Geh ran!** 
S. 37

Deine Aufgabe:

5 **So … Deine Entscheidung steht. Jetzt kannst du deinen Eltern alles sagen.**

Du: Mama, Papa … Ich weiß jetzt, was ich dieses Jahr machen werde.
Mama: Na toll. Hast du dich für Fußball entschieden?
Du: Nein, Mama! Fußball interessiert mich nicht! …

Die drei Musketiere

heißen euch herzlich willkommen.

Szenisches Fechten – auch Theaterfechten genannt – ist Fechten mit dem Partner und nicht gegen den Partner.
Wir studieren eine Kampfszene wie eine Choreografie ein.
Diese Szenen zeigen wir dann vor einem Publikum.

Lust auf ein Probetraining? Dann kommt doch sonntagabends von 18 bis 20 Uhr!

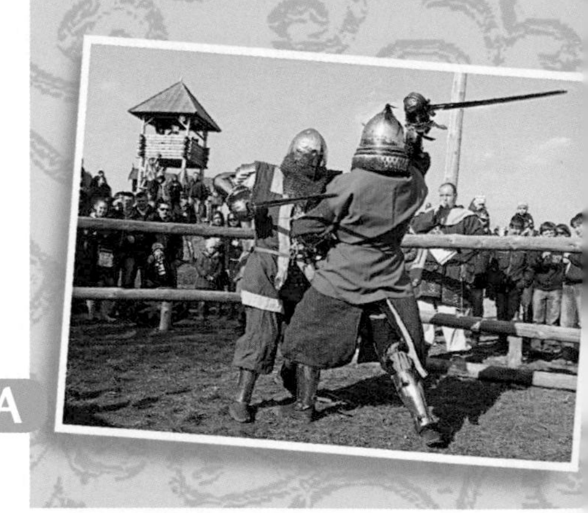

A

Vokabeln

- der Anfänger (-): *le débutant*
- der Fortgeschrittene (n): *le sportif confirmé*
- der Kampfsportverein (e): *le club de sport de combat*
- das Training: *l'entraînement*
- Angebote vergleichen (i, i): *comparer les offres*
- sich entscheiden (ie, ie): *se décider*

Wortschatz aktiv

- Ich möchte gerne etwas Neues machen.
  J'aimerais faire quelque chose de nouveau.
- Ich habe noch keine Ahnung, welchen Club ich wählen werde.
  Je n'ai encore aucune idée du club que je vais choisir.
- Ich werde mich ganz sicher beim …club anmelden.
  Je vais certainement m'inscrire au club de…
- Kickboxen macht mir echt Spaß.
  Le kick-boxing me plaît vraiment bien.
- Was hältst du davon? *Qu'en penses-tu ?*

B

FV Dortmund Fahrradverein

Unsere Einradgruppe heißt Anfänger und Fortgeschrittene willkommen.

Kannst du Fahrrad fahren?
Dann ist auch das Einradfahren kein Problem für dich!

- Wir trainieren samstags von 13:30 bis 17:00 Uhr in der Turnhalle PVL-Schule.
- Wir haben keine festen Kurse. Unser Training ist individuell.
- Wer mitmachen möchte, kann einfach zum Training kommen oder auf unsere Webseite gehen.

C

SVD Multisportverein Dortmund

Wir sind ein familienfreundlicher Kampfsportverein. Wir bieten Trainingsmöglichkeiten für Jung und Alt in Taekwondo, Kickboxen, Kung Fu oder Karate.

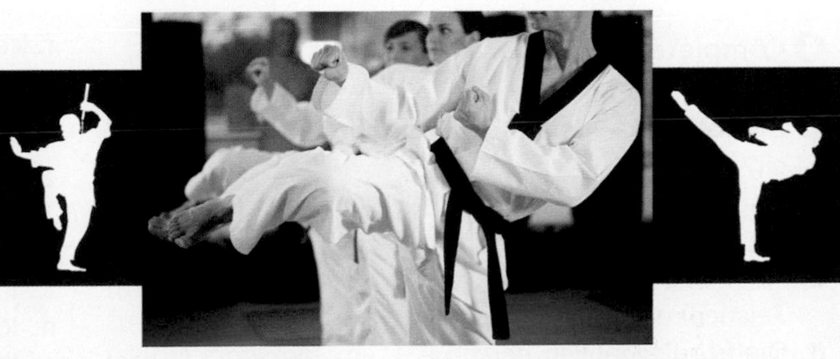

Trainingszeiten:
- Taekwondo mittwochs 17:30 bis 19:00
- Kickboxen dienstags 19:15 bis 20:45
- Kung Fu mittwochs 19:15 bis 20:45
- Karate montags 19:00 bis 20:00

D

Grammatik

- **Le futur**
  Ich **werde** mich im Fahrradverein **einschreiben**.
  › **GR II p. 48**
- **L'interrogation indirecte**
  Ich **frage** Ben, wer Hip-Hop **macht**.
  › **GR III p. 49**

 › Précis grammatical : I p. 123 - II p. 132

I. Les mots composés

Les mots composés sont formés à l'aide de deux éléments que l'on assemble de façon à n'avoir qu'un seul mot.

a) Tisch + Tennis → Tischtennis
b) Schach + Club → Schachclub

C'est le **dernier élément** qui donne son sens au mot ; celui qui est placé devant lui apporte une précision supplémentaire. Dans le cas de *Schachclub*, il s'agit d'un club (*Club*) dans lequel on joue aux échecs (*Schach*).

Les mots composés **ont le genre et le pluriel du dernier élément.**

c) die Musik + **das** Instrument (**e**)
→ **das** Musikinstrument,
die Musikinstrument**e**

1 Forme un mot composé à partir des mots donnés.

a. das Rennrad + der Verein
b. der Rock + die Band
c. das Ballett + der Unterricht
d. die Freizeit + das Programm
e. der Kampfsport + der Club

2 Associe les mots pour former des mots composés. À toi de trouver le bon genre ! S. 38

a. Wochen	**1.** Schule
b. Tischtennis	**2.** Club
c. Club	**3.** Aktivität
d. Musik	**4.** Verein
e. Freizeit	**5.** Ende
f. Karate	**6.** Mitglied

3 S. 39

II. Le futur

Le futur se forme à l'aide de l'auxiliaire ***werden*** et de l'infinitif du verbe que l'on veut conjuguer au futur. Dans une proposition déclarative, l'infinitif est en dernière place.

a) Ich spiele dieses Jahr Querflöte.
→ Ich **werde** dieses Jahr Querflöte ***spielen.***

b) Er schreibt sich in den Sportverein ein.
→ Er **wird** sich in den Sportverein ***einschreiben***.

Attention à la conjugaison de *werden* aux 2e et 3e personnes du singulier !

ich	werde	wir	werden
du	**wirst**	ihr	werdet
er / es / sie	**wird**	sie / Sie	werden

4 Complète les phrases à l'aide de *werden* conjugué. S. 39

a. Lina ist ein Pferdefan. Sie … sich in einen Reitclub einschreiben.
b. Und du, Noah, … du dich auch in einen Reitclub einschreiben?
c. Aber nein, ich zeichne so gern. Ich … in einen Zeichenkurs gehen.
d. Die Schüler tanzen gern. Sie … im Tanzsportclub ein Probetraining machen.
e. Braucht ihr Informationen? Dann … ihr sie auf unserer Homepage finden!
f. Ich will nicht allein in den Schachclub gehen. Meine Freundin und ich, wir **…** zusammen Schach spielen.

5 Mets les phrases suivantes au futur.

a. Ben und sein Freund spielen in einer Band Schlagzeug.
b. Laura fährt mit dem Fahrrad zur Schule.
c. In deiner Freizeit liest du viel.
d. Ich übe jeden Tag.
e. Ihr nehmt an vielen Turnieren teil.
f. Wir sehen nicht fern.

6 Que feras-tu cette année pendant tes loisirs ? Dis-le en utilisant le futur.

III. L'interrogation indirecte

Il est possible de rapporter une interrogative partielle. On transforme alors le discours direct en proposition subordonnée interrogative indirecte.

a) Ich frage Anna: „Wer **geht** in den Schachclub?" → Ich frage Anna, wer in den Schachclub **geht**.

b) Ich frage Ben: „Welcher Junge **reitet** gern?" → Ich frage Ben, welcher Junge gern **reitet**.

RAPPEL

L'interrogative partielle

Les mots ou groupes interrogatifs tels que *was, wer, welch-, wann, wohin, woher, warum, wie, wie alt, wie viel*… permettent de former des phrases interrogatives :
Wer geht in den Schachclub?

7 Transforme les phrases entre guillemets en interrogatives indirectes.

a. Er fragt: „Welche Prospekte sind so interessant?"
b. Die Mutter fragt: „Wer macht auch Hip-Hop-Tanzen?"
c. Der Junge fragt: „Wann findet der Musikunterricht statt?"
d. Die Kinder fragen: „Um wie viel Uhr beginnt das Training?"
e. Die Eltern fragen: „Mit wem gehen die Kinder in den Schachclub?"

8 Complète les interrogatives indirectes à l'aide des éléments proposés.

S. 39

wo – warum – was – um wie viel Uhr – welche – wann – wer

a. Ben möchte wissen, … auch Schach spielen möchte.
b. Der Vater fragt seine Tochter, … sie in ihrer Freizeit machen will.
c. Julia will wissen, … Maja Volleyball so langweilig findet.
d. Die Jugendlichen fragen den Trainer, … sie sich einschreiben müssen.
e. Sie wollen auch wissen, … das Training beginnt.
f. Julia hat noch keine Ahnung, … Aktivität sie wählen wird.
g. Die Eltern fragen ihren Sohn, … der Schachclub ist.

9 Mets les éléments entre crochets dans le bon ordre.

a. Der Vater fragt seinen Sohn, [er – macht – dieses Jahr – was].
b. Der Junge will wissen, [wann – trainieren – können – die Anfänger].
c. Der Freund fragt, [sein Freund – findet – langweilig – Handball – warum].
d. Die Mutter möchte wissen, [der Musikunterricht – beginnt – am Donnerstag – um wie viel Uhr].
e. Ben hat noch keine Ahnung, [in den Schachclub – am Freitag – möchte – wer – mitgehen].

Les mots composés en allemand et en anglais.

Les mots composés fonctionnent de la même manière dans les deux langues, à l'inverse du français.
Mais en anglais, ils ne sont pas toujours attachés.

Wochenende > weekend	Tischtennis > table tennis	Boxverein > boxing club
Schultasche > schoolbag	Rockband > rock band	Karamelleis > caramel ice cream

Spiel und Spaß

1 Vokabeltraining

Welche Freizeitaktivitäten machen sie gern?

Beispiel:
Das Mädchen auf Bild Nummer 1 reitet gern.

3

4

1

2

5

6

2 Vokabelmemo

S. 40

Comic

KULTUR PUR

Schule in Deutschland

1 Auf welche Schulen gehen deutsche Schüler? Lies den Text. S. 41

Von **3 bis 6 Jahren** können die Kinder im **Kindergarten** spielen, singen und basteln. Mit **6 Jahren** müssen alle Kinder in die **Grundschule**. Sie geht von der **1. bis zur 4. Klasse** (in Berlin und Brandenburg bis Klasse 6). Die Schüler lernen Lesen, Schreiben und Rechnen.

Dann haben die Schüler die Wahl zwischen verschiedenen Schultypen: Sie können auf die **Hauptschule (5.-9. Klasse)**, die **Realschule (5.-10. Klasse)** oder aufs **Gymnasium (5.-12. Klasse)** gehen.

Der Unterricht ist in den meisten deutschen Schulen zwischen 13 und 15 Uhr zu Ende. Am Nachmittag haben die Schüler deshalb viel Zeit für Freizeitaktivitäten.

2 Was sagen Nele, Ben und Sarah über ihre Schule? Auf welche Schule gehen sie? Lies die Texte. S. 41

NELE

Ich möchte nicht lange auf die Schule gehen. Ich möchte schnell eine Lehre machen und einen Beruf lernen.

BEN

Meine Schule ist genau richtig für mich. Ich möchte kein Abitur machen oder studieren. Nach sechs Jahren bekomme ich den Realschulabschluss oder die Mittlere Reife. Ich kann dann einen Beruf lernen oder, wenn ich gute Noten habe, noch auf eine andere Schule gehen.

Vokabeln

- der Kindergarten (¨): *l'école maternelle*
- die Grundschule (n): *l'école primaire*
- das Gymnasium (Gymnasien): *le lycée*
- der Abschluss (¨e): *le diplôme de fin d'étude*
- das Abitur: *le baccalauréat*
- der Beruf (e): *le métier*
- studieren: *faire des études*
- eine Lehre (n) machen: *faire un apprentissage*

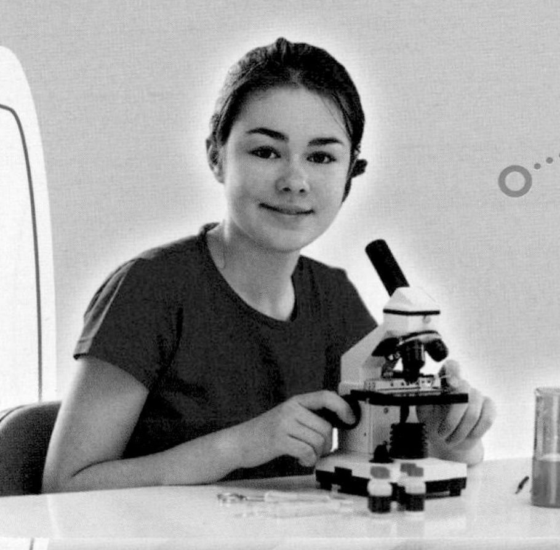

SARAH

Ich lerne gern und schnell. Nach der 12. Klasse mache ich Abitur und kann dann studieren.

Angela Merkel

Die erste deutsche Kanzlerin

Angela Merkel als Bundeskanzlerin

Angela Merkel ist eine Politikerin. Sie ist in der CDU (Christlich Demokratische Union). Diese Partei ist politisch rechts. Seit dem 22. November 2005 ist Merkel die deutsche Bundeskanzlerin. Sie war damals 51 Jahre alt. Sie ist, nach sieben Männern, die erste Frau und jüngste Kanzlerin an der Spitze der Bundesrepublik Deutschland. Am 22. September 2013 haben die Deutschen Merkel zum dritten Mal zur Kanzlerin gewählt.

Angela privat

Angela Merkel ist am 17. Juli 1954 in Hamburg geboren. Ihre Familie ist dann noch vor dem Mauerbau in die DDR umgezogen. Angela hat deshalb in der DDR gelebt. Sie hat in Leipzig Physik studiert und bekam 1986 ihren Doktortitel. Noch als Studentin heiratete sie ihren ersten Mann Ulrich Merkel. Die Ehe dauerte nur vier Jahre. 1998 heiratete Merkel zum zweite Mal. Ihr Mann heißt Joachim Sauer. Angela Merkel hat keine Kind

Ihre Hobbys

Natürlich hat die Kanzlerin nur wenig Freizeit. Wenn sie kann, geht sie mit ihrem Mann im Sommer gern wandern und im Winter macht sie Ski-Langlauf. Sie hört auch gern klassische Musik und geht in die Oper.

www.angela-merkel.de

Vokabeln

- der / die Politiker / in (- / nen) : *l'homme / la femme politique*
- der / die Kanzler / in: *le chancelier, la chancelière*
- die Partei (en): *le parti*
- die Ehe (n): *le mariage*
- an der Spitze: *au sommet*

Fülle das Starporträt aus.   S. 42

Compréhension écrite

S. 42

1 Lies diese Sportangebote.

→ Je suis capable de comprendre les offres de clubs sportifs et de les comparer.

MSV Top fit
Wir sind ein Sportverein für Jung und Alt.
Wir bieten Trainingsmöglichkeiten für Anfänger und Fortgeschrittene in vielen Kampfsportarten an.
Zum Beispiel in Kickboxen und Karate.
In unserem Verein gibt es auch noch eine **Tanzgruppe, Gymnastik für junge Mütter mit kleinen Kindern und ganz neu eine Fechtgruppe!**
Lust auf ein Probetraining?
Kommt am Mittwoch von 18 bis 20 Uhr.

Compréhension orale

34 20 S. 43

2 Du informierst dich im Club MSV Top fit. Was sagt der Trainer? Hör zu!

→ Je suis capable de comprendre les activités proposées et les jours d'entraînement.

Expression orale en interaction

3 Du willst mehr über die Kurse und Uhrzeiten erfahren. Stell dem Trainer Fragen.

→ Je suis capable d'échanger sur mes centres d'intérêt et mes disponibilités.

Expression orale en continu

4 Erzähle deinen Eltern von dem Probetraining und welche Sportart du wählen wirst.

→ Je suis capable de dire ce que j'ai l'intention de faire et quelles sont les conséquences sur mon emploi du temps.

Expression écrite

5 Deine Großeltern wollen deinen Sportclub bezahlen. Schreibe ihnen jetzt eine nette Mail und erkläre deine Wahl.

→ Je suis capable de présenter mes choix d'activités et d'en décrire l'organisation.

BUCH 2

KAPITEL 5 **Mach mit!**

S. 55

KAPITEL 6 **Sei vorsichtig!**

S. 71

KAPITEL 7 **Promis haben Fans**

S. 87

KAPITEL 8 **Bald ist die Schule aus**

S. 103

Mach mit!

BUCH 2 Kapitel 5

Tes objectifs

SZENE **1**

- **Tu sauras proposer une soirée et l'animer.**
- **Tu sauras accepter ou refuser une invitation en te justifiant.**

SZENE **2**

- **Tu sauras comprendre les étapes d'une recette.**
- **Tu sauras expliquer les étapes d'une recette.**

Ton projet

SZENE **1**
Tu vas répéter ta chanson pour ta soirée karaoké.

SZENE **2**
Tu vas présenter ton plat au concours Topchef Junior.

KULTUR PUR

Kaffee und Kuchen
Ein süßer Moment

STARPORTRÄT

Cro
Ein deutscher Rapper

Die coole Geburtstagsparty

1 Post von Ben. Was schreibt er seinem Freund? Lies seine Mail. S. 44

Von : ben.k@gmx.de
Betreff: Fete

Hallo Jan!

Wir haben schon lange keine Fete mehr gemacht. Deshalb habe ich vor, nächste Woche mit unserer Clique eine ganz tolle Party zu feiern. Was hältst du davon?
Ich habe schon meine Eltern gefragt. Sie sind einverstanden! Total cool!
Meine Mutter hat aber gesagt, dass wir alles alleine organisieren müssen. Sie hat diese Woche keine Zeit. Deshalb brauche ich deine Hilfe. Wann kannst du zu mir kommen?
Antworte mir schnell oder ruf mich an!

Bis bald!

Ben

2 Sprachmusik Hör zu und wiederhole.

3 Laura und Sarah organisieren eine Party. Hör zu. S. 44

4 Du hast für deine Party eine Einkaufsliste gemacht. Überlege mit deiner Mutter, was ihr kaufen müsst.

Du: *Mama, schau mal. Ich habe eine Einkaufsliste für die Party gemacht.*
Deine Mutter: *Ja, gut! Was möchtest du denn alles einkaufen?*
...

5 Und jetzt du ... Übe mit einem Partner. 1 38-39 22-23

1

A: Wann soll die Party sein? Was passt dir?
B: Na, ich denke am Samstag, von 19 Uhr 30 bis 22 Uhr.
A: Am Samstag passt es mir nicht. Da habe ich Volleyball. Deshalb ist es am Freitag besser.
B: Ja, einverstanden.

2

A: Was brauchen wir für die Party?
B: Hast du Lust zu tanzen? Dann brauchen wir gute Musik und eine Stereoanlage.
A: Ja, gute Idee.

6 Du kannst deine Party nicht alleine organisieren. Schreibe deinen Freunden eine Einladung und bitte sie um Hilfe.

Ich möchte dich ...

Vokabeln

- die Fete (n) / die Party (s): *la fête*
- das Lied (er): *la chanson*
- die Einkaufsliste (n): *la liste de courses*
- der Papierteller (-): *l'assiette en carton*
- feiern: *fêter*
- einen Abend organisieren: *organiser une soirée*
- singen (a, u): *chanter*
- vorbereiten: *préparer*

Wortschatz aktiv

- Da kann ich absolut nicht! *À ce moment là, je ne suis absolument pas dispo !*
- Wen laden wir ein? *Qui allons-nous inviter ?*
- Na klar, ich bin mit dir einverstanden. *Bien sûr, je suis d'accord avec toi.*
- Was brauchen wir alles? *De quoi avons-nous besoin ?*
- Ich schlage vor, dass wir Brezeln kaufen. *Je propose que nous achetions des bretzels.*

Grammatik

- **L'expression de la cause –** ***deshalb***
  Deshalb brauche ich deine Hilfe.
  › GR I p. 64

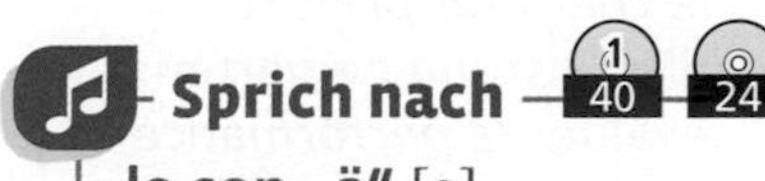

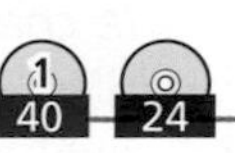

Sprich nach 1 40 24

le son „ä" [ɛ]

ergänzen – Getränke – Äpfel – Gummibärchen

Deine Aufgabe

KAPITEL 5
SZENE 1

Die coole Geburtstagsparty

Bereite dich auf die Party vor und übe dein Lied.

1 Echt blöd! Anruf verpasst! Hör dir Emmas Nachricht an. 1 41 S. 45

2 Was ist denn Singstar? Informiere dich im Internet. A S. 46

3 Du bist begeistert. Rufe Emma zurück und organisiere mit ihr die Party. B

4 Du möchtest Pauls Playstation für die Party. Schreibe ihm eine E-Mail.

> *Hallo Paul,*
> *Emma und ich feiern am Samstag ab 20 Uhr …*

5 Na … Da ist ja schon Pauls Antwort. Lies sie schnell. C  S. 46

Deine Aufgabe:

6 Du willst dich auf deiner Party nicht blamieren. Werde du der wahre Singstar und übe dein Lied! D

http://youtu.be/n1aSGRd0hg0

D

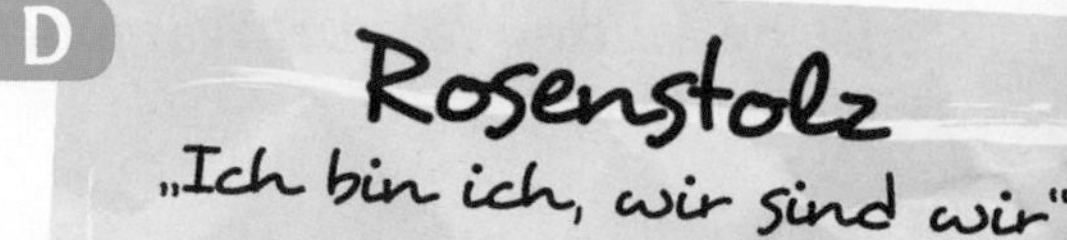

Das bin ich
Das bin ich
Das allein ist meine Schuld
Das bin ich
Das bin ich
Das bin ich
Das allein ist meine Schuld

Ich bin jetzt
Ich bin hier
Ich bin ich
Das allein ist meine Schuld
Ich bin jetzt
Ich bin hier
Ich bin ich
Das allein ist meine Schuld

Vokabeln

- der Wettkampf (¨e): *la compétition*
- der Lieblingssänger (-): *le chanteur préféré*
- die Leistung bewerten: *évaluer la performance*
- lustig: *drôle*
- herausfordern: *défier*

Wortschatz aktiv

- Was passt dir am besten? *Qu'est-ce qui te convient le mieux ?*
- Dein Vorschlag ist wirklich gut! *Ta proposition est vraiment bien !*
- Ich bin total begeistert. *Je suis vraiment enthousiaste.*
- Könntest du uns dein Material leihen? *Pourrais-tu nous prêter ton matériel ?*
- Das wäre toll! *Ce serait génial !*

Grammatik

- **L'expression de la cause – *weil, deshalb, denn***
  Emma fragt ihre Freundin, **weil** sie immer gute Ideen hat.
  › GR I p. 64

Das SingStar®-Erlebnis

Singstar ist ein Singspiel im Wettkampf-Stil für Playstation 2, 3 oder 4. Du kannst die Songs deiner Lieblingssänger zum Originalvideo nachsingen. Das Spiel bewertet deine Leistung und gibt dir am Ende des Songs eine Punktzahl. Du kannst Singstar kostenlos spielen. Alles was du brauchst, ist eine Playstation 3 und Mikrofone oder die Playstation-Eye-Kamera. Spiele allein, mit einem Freund oder im Party-Modus mit maximal acht Spielern. Wähle deinen Spielmodus: Solo, Duell, Party, Üben, Online-Duell … Party-Erfolg garantiert! Das ultimative Party-Erlebnis mit Singstar-Dance! Möchtest du gleichzeitig[1] singen und tanzen? Dann zeig deinen Freunden, was du kannst! Bis zu vier Spieler können mit zwei Mikrofonen und einem Playstation-Move-Motion-Controller singen und tanzen.

1. **gleichzeitig:** *en même temps*

B

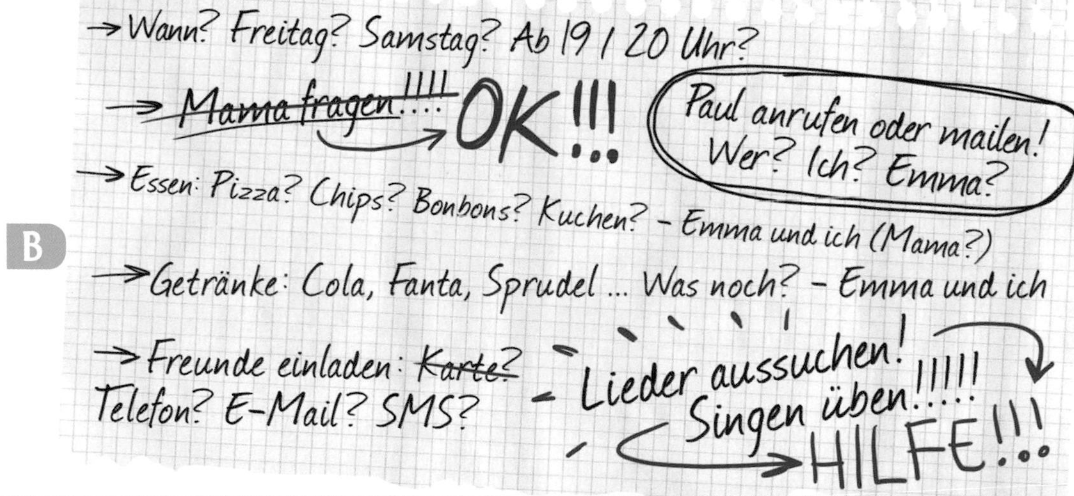
→ Wann? Freitag? Samstag? Ab 19 / 20 Uhr?

→ ~~Mama fragen~~!!!! → OK!!!

Paul anrufen oder mailen! Wer? Ich? Emma?

→ Essen: Pizza? Chips? Bonbons? Kuchen? – Emma und ich (Mama?)

→ Getränke: Cola, Fanta, Sprudel … Was noch? – Emma und ich

→ Freunde einladen: ~~Karte?~~ Telefon? E-Mail? SMS?

– Lieder aussuchen! – Singen üben!!!!! → HILFE!!!

C

Von : paul0001@web.de
Betreff: Deine Frage

Hallo!
Kein Problem, ihr könnt gerne meine PS3 haben. Hast du Internet? Dann können wir auch online gehen und andere zum Duell herausfordern. Ich habe auch die Playstation-Eye-Kamera und Playstation-Move-Motion-Controller! Wir können Videos und Audio-Aufnahmen von uns auf Singstar.com hochladen. Das ist echt lustig! Die ganze Welt kann dann unsere Videos sehen!
Ich freue mich!
Bis bald,
Paul

Mach mit beim Topchef-Wettbewerb!

1 Lies die Rezepte.  S. 47

Schneller Karotten-Apfel-Salat

Zutaten:
2 Äpfel - 4 Karotten - 2 EL Essig - 3 EL Öl - Salz und Pfeffer

Zuerst die Karotten und die Äpfel schälen und raspeln. In einer Schüssel vermischen. Essig, Öl, Salz und Pfeffer hinzugeben. Eine Stunde in den Kühlschrank stellen, dann schmeckt der Salat besser!

ROTE GRÜTZE

Zutaten:
• 1 Glas Kirschen (oder 700 g frische Kirschen) • 1 Packung rote Beeren tiefgekühlt • 100 g Zucker • 2 EL Stärkemehl • Schlagsahne zum Garnieren

Die Kirschen mit den Beeren und dem Zucker kochen. Das Stärkemehl mit etwas Wasser verrühren und dann in den Topf zu den Beeren geben. Schnell rühren und noch 2 Minuten kochen lassen. In schöne Gläser gießen und warten bis die Grütze kalt ist. Dann schön mit Sahnetupfen garnieren. Schmeckt auch gut mit einer Kugel Vanilleeis!

1 EL = 1 Esslöffel

1 TL = 1 Teelöffel

2 Und jetzt du … Schmeckt dir das oder nicht? Übe mit einem Partner.  

A: Möchtest du die Karotten kosten?
B: Nein, Karotten schmecken mir nicht.
A: Und isst du gern Petersilie?
B: Petersilie? Ich hasse Petersilie!

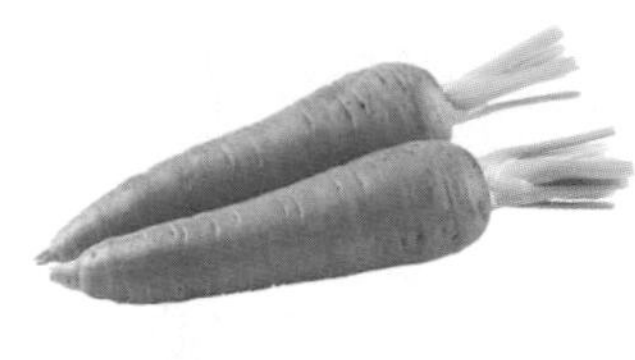

die Karotte (n)

die Petersilie

die roten Beeren

die Kirsche (n)

das Vanilleeis (-)

die Gewürzgurke (n)

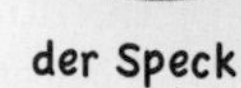

der Speck

die Himbeere (n)

die Schlagsahne

der Apfel (¨)

3 Sprachmusik **Hör zu und wiederhole.**  

4 **Das Bratapfelgedicht. Hör zu und lies das Gedicht laut.**

Vokabeln

- der Ofen (¨): *le four*
- der Essig: *le vinaigre*
- das Öl: *l'huile*
- das Hackfleisch: *la viande hachée*
- die Kirsche (n): *la cerise*
- die Himbeere (n): *la framboise*
- schälen: *éplucher*
- raspeln: *râper*

Wortschatz aktiv

- Salz und Pfeffer hinzugeben. *Ajouter du sel et du poivre.*
- Alles in einer Schüssel vermischen. *Mélanger le tout dans un saladier.*
- Eine Stunde in den Kühlschrank stellen. *Laisser reposer une heure au frigo.*
- Erdbeeren schmecken mir nicht. *Je n'aime pas les fraises.*
- Möchtest du den Salat probieren? *Aimerais-tu goûter la salade ?*

Grammatik

- **Les verbes à particule**
  Du **brätst** die Zwiebeln **an**.
  › GR II p. 64

Sprich nach 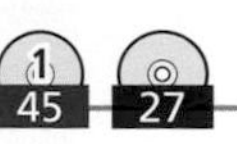

le son „o" [o:]

Soße – Ofen
groß – oben

Deine Aufgabe

KAPITEL 5 SZENE 2

Mach mit beim Topchef-Wettbewerb!

Stelle dein Gericht und dein Rezept beim Wettbewerb vor.

1 **Dein Freund hat eine fantastische Idee! Hör ihm zu.** 

2 **Wow! Ins Fernsehen … Du bist begeistert und willst mit ins Team! Sag es deinem Freund.**

Du: Wow! Also ein echter Wettbewerb im Fernsehen? Das ist ja Spitze! …

3 **Auf geht's! Lest die Regeln.** A

4 **Alles klar? Na, dann schreibt euch für den Wettbewerb ein.** 

5 **Toll! Ihr seid mit dabei! Studiert jetzt die Rezepte.** B C D 

Deine Aufgabe:

6 **Endlich! Der große Tag vor der Jury in Berlin! Stellt euer Gericht vor, nennt alle Zutaten und erklärt die Arbeitsschritte.**

C 

Zutaten:
- 600 g Kartoffeln
- 1 große Zwiebel
- Ein paar Gewürzgurke
- 150 g Speck
- Essig, Öl, Senf, Salz und Pfeffer für die Soße

B 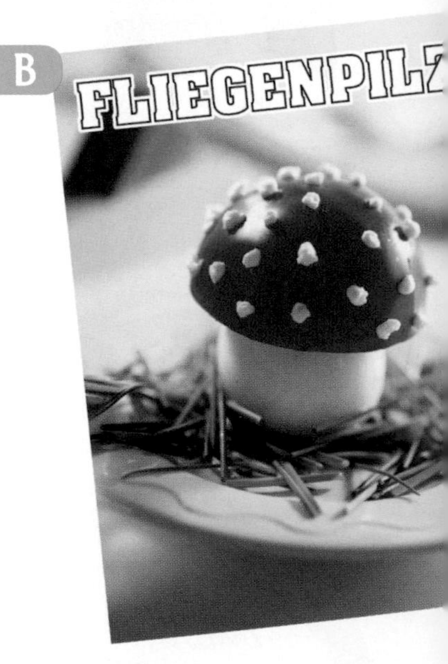

A

TOPCHEF JUNIOR

Was ist das?
Topchef Junior ist ein Kochwettbewerb im Fernsehen für junge Hobbyköche im Team.

Wer kann mitmachen?
Bist du zwischen 9 und 17 Jahren alt? Ist Kochen dein Hobby? Möchtest du dein Talent in einem Wettbewerb testen? Dann schreib dich mit ein oder zwei Freunden zum Wettbewerb Topchef Junior ein!

Phase 1: Du bekommst ein paar Rezepte. Du hast ein paar Tage Zeit und kannst die Rezepte studieren und üben.
Phase 2: Du kochst dein Gericht zu Hause. Du musst deine Zutaten und die Arbeitsschritte fotografieren. Natürlich bist du auf den Fotos! Die Jury muss sehen, dass du das Gericht gemacht hast!
Phase 3: Der große Tag vor der Jury im Fernsehen: Du zeigst deine Fotoserie und erklärst der Jury die Arbeitsschritte. Du zeigst dein Gericht und die Jury probiert es

Die Kartoffeln circa 20 bis 25 Minuten kochen, noch warm pellen! Dann warten und später kalt in Scheiben oder Würfel schneiden und in eine große Schüssel geben. Die Gewürzgurken in kleine Würfel schneiden und dazugeben. Die Zwiebel schälen und in Ringe oder Würfel schneiden. Zwiebel und Speck in der Pfanne anbraten. In die Schüssel geben. Mit Essig, Öl, Senf, Salz und Pfeffer eine Soße machen und dazugeben. Alles gut mischen. Schmeckt gut mit einer Brezel oder Wiener Würstchen!

Zutaten:
- 10 Eier
- 5 Tomaten
- 1 Tube Mayonnaise
- 1 Bund Petersilie oder Schnittlauch

Die Eier hart kochen und schälen. Unten ein Stück gerade abschneiden. Dann steht das Ei gut! Die Tomaten halbieren und mit einem Teelöffel aushöhlen. Mit dem Küchentuch trocknen. Auf einem großen Teller die Petersilie oder den Schnittlauch verteilen. Die Eier hinstellen und mit den halben Tomaten bedecken. Mit der Mayonnaise kleine Punkte auf die Tomaten setzen. Fertig!

D

DEUTSCHLANDKUCHEN

Zutaten:

Für den Teig:
- 2 Eier
- 2 EL Wasser
- 100 g Zucker
- 100 g Mehl
- 1TL Backpulver

Für die Garnitur:
- 400 g Frischkäse
- 100 g Puderzucker
- 200 ml Sahne
- 150 g Johannisbeeren oder Blaubeeren
- 150 g Erdbeeren oder Himbeeren
- 150 g Aprikosen, Pfirsiche oder Mango

Für den Teig die Eier mit dem Wasser verrühren. Dann Zucker, Mehl und Backpulver dazugeben und nochmal rühren.
Im Backofen bei 180 bis 200° C circa 15 Minuten backen. Abkühlen lassen.
Für die Garnitur den Frischkäse mit dem Puderzucker verrühren. Sahne schlagen und unter die Frischkäsemasse geben.
Auf dem Teig verteilen.
Ganz oben die schwarzen und zum Schluss die gelben Früchte so verteilen, dass man die deutsche Flagge erkennt.

Vokabeln

- der Topf (¨e): *la casserole*
- kochen: *cuire*
- backen (ä, u, a): *cuire au four (patisserie, pain)*
- pellen: *éplucher*
- gießen (goss, gegossen): *verser*
- dazugeben (i, a, e): *ajouter*
- abkühlen: *refroidir*

Wortschatz aktiv

- Das Gemüse in Scheiben oder Würfel schneiden. *Couper les légumes en rondelles ou en cubes.*
- Die Zutaten mit dem Stärkemehl verrühren. *Mélanger les ingrédients avec la fécule.*
- Auf dem Teig verteilen. *Disposer sur la pâte.*
- Zuerst habe ich die Zwiebeln in der Pfanne angebraten. *D'abord, j'ai fait revenir les oignons dans une poêle.*

Grammatik

- **La déclinaison de l'adjectif épithète**
  Für das Rezept brauche ich gut**en** Käse.
  › GR III p. 65

 › Précis grammatical : I p. 134 - II p. 129 / 131 - III p. 126

I. L'expression de la cause

On peut exprimer la cause de plusieurs façons en allemand :
– en utilisant **la conjonction de coordination *denn*** ;
– en utilisant **la conjonction de subordination *weil*** ;
– en utilisant **l'adverbe *deshalb***.

Leur emploi aura une incidence sur la place du verbe conjugué dans la proposition qu'ils introduisent.

a) Ben will eine tolle Party organisieren, **denn** er ***hat*** Geburtstag.
b) Ben will eine tolle Party organisieren, **weil** er Geburtstag ***hat***.
c) Ben hat Geburtstag, **deshalb *will*** er eine tolle Party organisieren.

Attention : l'emploi de *deshalb* n'est possible que si la cause a déjà été exprimée.

RAPPEL
La position du verbe conjugué
– Dans une déclarative, le verbe conjugué est en deuxième position.
– Dans une proposition subordonnée, il est en dernière position.

1 S. 50

2 **Relie les deux phrases à l'aide du mot entre parenthèses. Attention à la place du verbe !**
a. Sie freuen sich. Bald ist die Party. (denn)
b. Sie organisieren einen Karaokeabend. Karaoke ist cool! (weil)
c. Paul hilft immer gerne. Sie fragen ihn. (deshalb)
d. Emma fragt ihre Freundin. Sie hat immer gute Ideen. (weil)
e. Sie haben nicht viel Platz. Ihre Mutter ist nicht einverstanden. (deshalb)
f. Sie wollen auch essen und trinken. Sie kaufen ein. (deshalb)

3 **Relie les phrases avec *deshalb* au lieu de *denn*, selon le modèle proposé.**
Er ruft sie an, denn er will sie einladen. > Er will sie einladen, deshalb ruft er sie an.
a. Die Freunde freuen sich, denn die Eltern sind einverstanden.
b. Die Freunde helfen, denn Mama hat keine Zeit.
c. Sie gehen einkaufen, denn sie brauchen Getränke.
d. Sie müssen bald die Einladungen schicken, denn die Party findet schon nächste Woche statt.
e. Maximal zwölf Freunde können kommen, denn das Wohnzimmer ist nicht sehr groß.
f. Sie brauchen Musik, denn sie wollen tanzen.

II. Les verbes à particule

En allemand, de nombreux verbes ont une particule qui fait changer le sens des verbes.
Cette particule peut être **séparable** et **accentuée**, comme dans :
anrühren, mitmachen, abschneiden.

Ou elle peut être **inséparable** et **non accentuée**, comme dans :
vermischen, bekommen, entdecken.

Il y a 8 particules inséparables :
be-, emp-, ent-, er-, ge-, miss-, ver-, zer-.

Cette phrase t'aidera à les mémoriser :
« J'ai mis Cerbère en enfer. »
ge miss zer be er emp ent ver

Seule la particule séparable peut se détacher du radical :

a) Du sollst den Teig anrühren.
b) Ok, ich rühre den Teig an.

❹ Particule séparable ou inséparable ? S. 50
Classe les verbes.

mitmachen – entdecken – anbraten – vermischen – nachgucken – erkennen – bedecken – anmelden – erklären – hinzugeben – verrühren – abschneiden – verteilen – bekommen – aushöhlen

❺ S. 50

❻ Participe passé avec ou sans *ge-* ? Mets les phrases au parfait.

a. Er macht mit.
b. Ich bekomme eine Mail.
c. Du verteilst die Sahne auf dem Kuchen.
d. Wir melden uns an.
e. Ihr vermischt die Karotten und die Äpfel.
f. Sie erklären das Rezept.

III. La déclinaison de l'adjectif épithète dans un groupe nominal

1. Groupe nominal indéfini

Au nominatif masculin singulier, au nominatif et à l'accusatif neutre singulier, l'article indéfini est ***einØ***. Comme il ne porte aucune marque, c'est l'adjectif épithète qui porte **la marque dite « forte »** pour nous renseigner sur le genre et le cas.

La situation est la même au pluriel, où le groupe indéfini se caractérise par l'absence d'article.

Partout ailleurs, l'article indéfini porte les mêmes terminaisons que l'article défini, l'adjectif portera donc des marques faibles (voir p. 19).

	masculin	neutre
N	einØ toller Wettbewerb	einØ gutes Rezept
A	*	einØ gutes Rezept
D	*	*

*La terminaison est identique à celle de l'article défini, voir *précis grammatical*.

2. Groupe nominal sans déterminant

Comme il n'y a pas de déterminant pouvant renseigner sur le genre / nombre et le cas, c'est l'adjectif qui porte la **marque forte**.

	masculin	neutre
N	Ø deutscher Käse	Ø feines Salz
A	Ø deutschen Käse	Ø feines Salz
D	Ø deutschem Käse	Ø feinem Salz

	féminin	pluriel
N	Ø frische Butter	Ø frische Eier
A	Ø frische Butter	Ø frische Eier
D	Ø frischer Butter	Ø frischen Eiern

❼ Transforme les groupes nominaux avec article défini en groupes avec article indéfini.

a. Ich habe das tolle Rezept im Internet gefunden.
b. Mit den gekochten Eiern kann man ein leckeres Gericht zubereiten.
c. Der deutsche Wettbewerb heißt „Topchef Junior".
d. Die warmen Frikadellen sind lecker.
e. Das wichtige Finale findet im März statt.
f. Nimm die halbe Tomate.

❽ – ❾ S. 51

Les verbes à particule en allemand et en anglais.
Comme l'allemand, l'anglais a aussi des verbes à particule.
Mais en anglais, les mots sont écrits séparément.

aufstehen > to stand up
abschneiden > to cut off
reinkommen > to come in
ausgehen > to go out
aushöhlen > to scoop out

Comic

3 Eier, 2 Esslöffel Milch 100g Zucker, 100 g Mehl 100g Nutella...
Also, 3 Eier... Oh ich habe nur 2 Eier. Egal. Dann Milch...
Mist, keine Milch mehr da! Dann nehme ich Wasser.
Zucker, Mehl, kein Problem...
Oh, ich habe kein Nutella! Dann muss es eben ohne Nutella gehen.
45 Minuten später.
Hm... lecker!
Na, schmeckt dein Kuchen?
Ja, super lecker! Tut mir Leid, du kannst nicht kosten. Meine Freunde kommen gleich...

SPIEL UND SPAß

1 Vokabeltraining

Ein Kettenspiel …
Was tust du in deinen Einkaufskorb?

Beispiel:

Schüler 1: Ich kaufe ein Kilo Tomaten.
Schüler 2: Ich kaufe ein Kilo Tomaten und eine Packung Salz.
Schüler 3: Ich kaufe ein Kilo Tomaten, eine Packung Salz und …

2 Vokabelmemo

1. Wortsalat. Finde die Wörter aus Szene 1 und den geheimen Satz. S. 52

2. Spiegelfragen. Entziffere die Sätze und finde das gesuchte Wort aus Szene 2. S. 53

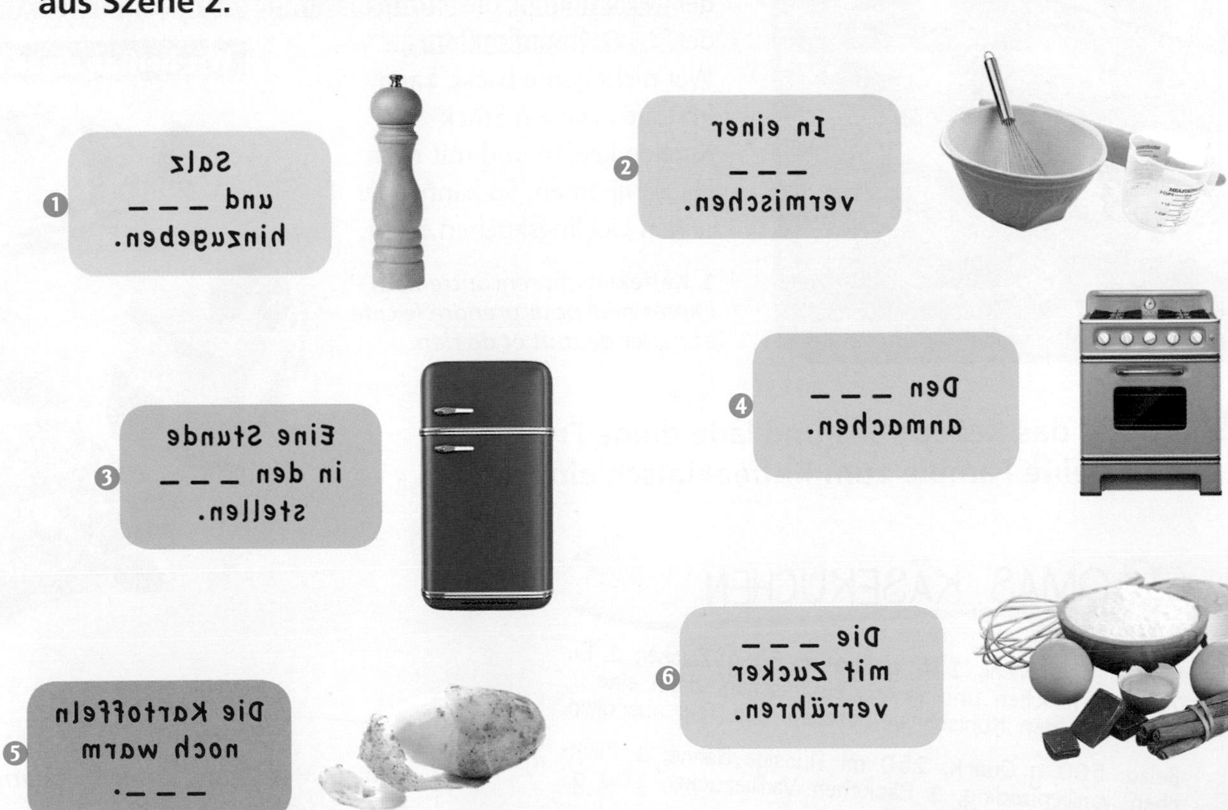

7 Die Zwiebeln in der ___ anbraten.

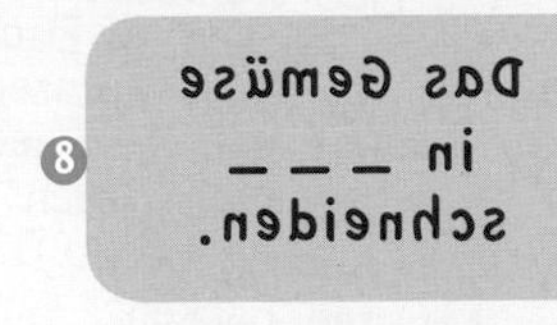

KULTUR PUR

Kaffee und Kuchen – ein süßer Moment

1 Eine Einladung zu „Kaffee und Kuchen". Lies den Text.

In vielen deutschen Familien ist der Nachmittagskaffee oder „Kaffee und Kuchen" am Sonntagnachmittag ein wichtiger Moment. So wie die Franzosen gerne zum „Aperitif" einladen, lädt man in Deutschland die Familie, Nachbarn oder Freunde zu „Kaffee und Kuchen" ein. Die Familie trinkt Kaffee oder Tee, die Kinder trinken oft Kakao oder Früchtetee. Dazu gibt es selbstgebackenen Kuchen. Und natürlich viel Schlagsahne!

2 Kuchen, Torte, süßes Stückchen … Lies den Text. Welchen Kuchen magst du?

Oft treffen sich die Deutschen auch zum Kaffeeklatsch[1] in einem Café in der Stadt. Dort kann man zwischen vielen verschiedenen Kuchen seinen Lieblingskuchen auswählen. Was schmeckt dir am besten? Der **Apfelkuchen mit Streusel**, der **Käsekuchen**, die **Himbeer-Sahne-Torte**, der **Bienenstich**, der **Zwetschgenkuchen** …?
Wer nicht gerne bäckt, kann im Café auch ein Stück Kuchen kaufen und mit nach Hause nehmen. So kann jeder seinen Lieblingskuchen essen.

1. Kaffeklatsch: *rencontre dans l'après-midi pour prendre le café et parler de tout et de rien.*

Wie heißen diese Kuchen?

3 Probier das Rezept aus und lade deine Freunde oder deine Familie zum Kaffeeklatsch ein! S. 54

OMAS KÄSEKUCHEN

Zutaten:

Teig: 200 g Mehl, 125 g Butter, 60 g Zucker, 1 Ei.
Zutaten mischen und einen Teig machen, dann eine Stunde in den Kühlschrank stellen. Den Teig ausrollen.

Belag: 500 g Quark, 250 ml flüssige Sahne, 1 Päckchen Vanillepudding, 1 Päckchen Vanillezucker, 100 g Zucker, 5 Eier.

Die Eier trennen und das Eiweiß mit 50 g Zucker zu Eischnee schlagen. Die restlichen Zutaten verrühren und mit dem Eischnee vermischen. Auf den Teig gießen.
Den Kuchen bei 180° C 45-55 Minuten backen.

Vokabeln

- die Schlagsahne: *la crème chantilly*
- das Stück (e): *la part*
- der Quark: *le fromage blanc*
- das Päckchen (-): *le sachet*
- der Eischnee: *le blanc d'œuf monté en neige*
- ausrollen: *étaler*
- trennen: *séparer*

STARPORTRÄT

Wer ist eigentlich Cro?

Cro heißt eigentlich Carlo Waibel, aber seine Fans kennen ihn nur als „Cro". Sein Markenzeichen ist eine Pandamaske. Cro ist ein deutscher Rapper. Er nennt seinen Musikstil „Raop": Das ist ein Mix aus Rap und Pop.

Warum trägt Cro eine Maske?

Die Idee ist nicht von Cro, sie ist von *Chimperator Production*, seinem Label. Cro durfte sich eine Maske aussuchen und hat die Pandamaske genommen. Jetzt kann Cro ohne Maske auf der Straße spazieren gehen und seine Fans erkennen ihn nicht. Cro findet das super!

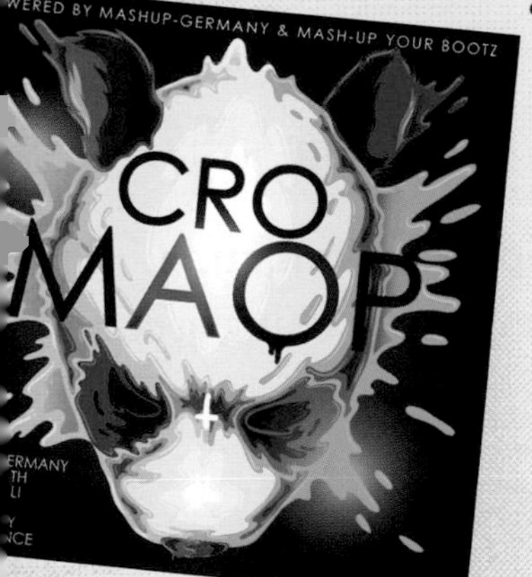

Cro als Kind und seine Karriere

Cro ist am 31.1.1990 in Aalen (zwischen Stuttgart und Ulm) geboren. Er war Schüler auf der Johannes-Gutenberg-Schule in Stuttgart. Als Kind hat Cro Klavier und Gitarre gelernt. Schon mit zehn Jahren hat er Musik gemacht und aufgenommen. Seine ersten Musikkompositionen hat Cro zum kostenlosen Download im Internet angeboten. Der Erfolg kam mit dem Titel „Easy".

youtu.be/u2pySXCmwpc

Vokabeln

- erkennen (erkannte, erkannt): *reconnaître*
- dürfen (darf, durfte, gedurft): *avoir le droit de*
- aufnehmen (nimmt, nahm, genommen): *enregistrer*
- anbieten (o, o): *proposer, offrir*

Einmal um die Welt

**Egal, wohin du willst,
wir fliegen um die Welt.
Hau'n sofort wieder ab,
wenn es dir hier nicht gefällt.
[…]**

**Frühstück in Paris und danach
Joggen auf Hawaii und um das
Ganze noch zu toppen geh'n
wir Shoppen in L.A.
[…]**

 **Fülle das Starporträt aus.**  S. 54

Compréhension écrite

S. 55

1 Super! Eine Einladung zu Julians Party. Lies sie.

➔ Je suis capable de comprendre une invitation à une fête.

HALLO ALLE ZUSAMMEN!

Ich werde nächste Woche 13 Jahre alt!

Und deshalb möchte ich eine tolle Party feiern und euch alle nächsten Samstag um 19 Uhr zu mir einladen!
Natürlich werden wir tanzen und singen. Ich habe eine Playstation. Wer hat eine Wii oder eine X-Box Kinect? Und Spiele? Wir können dann Just dance oder Dance Central 2 spielen. Wer kann am besten tanzen und singen? Wir können einen Wettkampf organisieren, uns herausfordern und den besten Sänger und Tänzer wählen. Oder Videos und Audio-Aufnahmen von uns machen. Das wird bestimmt total lustig!
Also, nicht vergessen:
Nächsten Samstag reservieren und üben, üben, üben!!! ;-)

EUER JULIAN

Expression orale en interaction

2 Perfekt! Du hast eine *X-Box Kinect*, Spiele und viele Ideen. Rufe Julian an und organisiert die Party.

➔ Je suis capable de discuter de l'organisation d'une fête (matériel, activités...).

Compréhension orale

S. 55

3 Dein Austauschpartner erklärt dir ein typisch deutsches Rezept. Hör ihm zu.

➔ Je suis capable de comprendre les ingrédients et les différentes étapes d'une recette.

Expression écrite

4 Dein Partner möchte auch ein Rezept aus deinem Land. Schreibe es auf.

➔ Je suis capable de nommer les ingrédients et de décrire les étapes d'une recette.

Expression orale en continu

5 Hilfe! Dein Vater will kochen. Erkläre ihm das Rezept.

➔ Je suis capable de nommer les ingrédients et d'expliquer les étapes d'une recette.

Sei vorsichtig!

BUCH 2 Kapitel 6

Tes objectifs

SZENE **1**

- **Tu sauras prendre des nouvelles d'un ami malade.**
- **Tu sauras proposer ton aide.**

SZENE **2**

- **Tu sauras décrire une personne.**
- **Tu sauras raconter un incident / une agression.**

Ton projet

SZENE **1**
Tu vas participer à une campagne d'information sur la sécurité routière. 

SZENE **2**
Tu vas témoigner d'un vol et donner la description du coupable. 

KULTUR PUR

Der Römerpark in Xanten

STARPORTRÄT

Felix Baumgartner
Ein Extremsportler

Auf ins Training! KAPITEL 6 SZENE 1 Fahr Rad … aber sicher!

1 **Oh, wie geht es ihnen? Hör zu. Welches Bild passt zu welchem Hörtext?** 

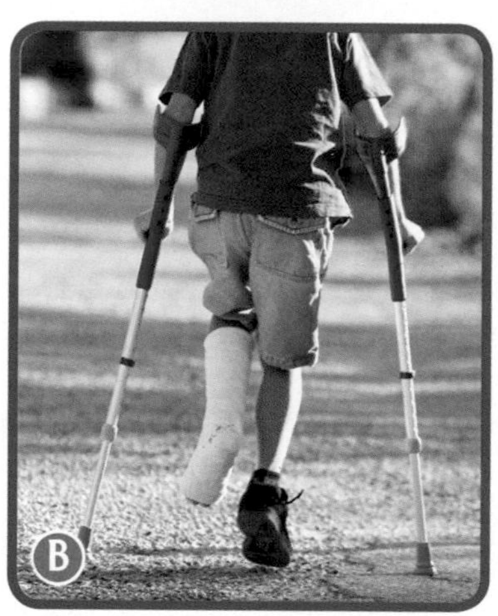

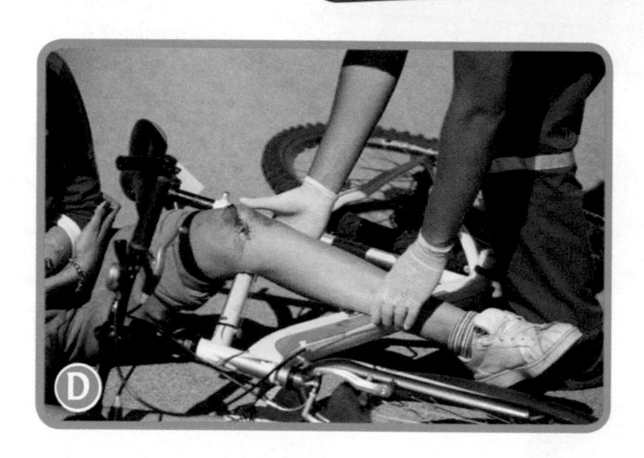

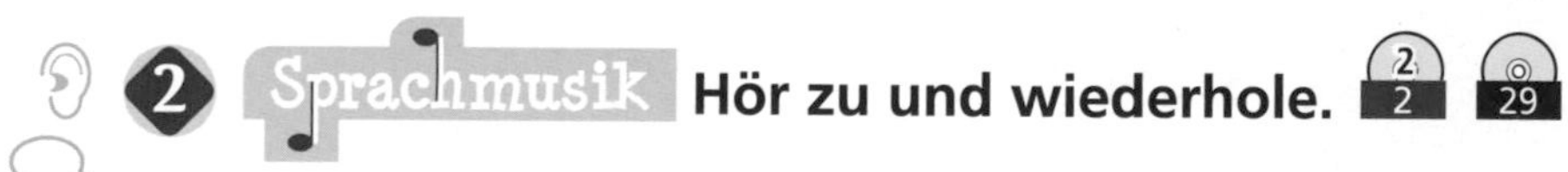
2 Sprachmusik **Hör zu und wiederhole.**  

3 **Und jetzt du … Übe mit einem Partner.**  

1

A: Oh je! Bist du krank?
B: Ja. Es geht mir gar nicht gut.
A: Was hast du denn? Hast du Kopfschmerzen?
B: Nein. Mir tut der Hals weh.
A: Wenn dir der Hals weh tut, dann nimm eine Halstablette.

2

A: Weißt du, wie es Felix geht?
B: Ja. Es geht ihm nicht gut.
A: Hat er eine Angina?
B: Nein. Er hat sich zwei Finger gebrochen. Er hat einen Gips.

Bist du krank? Dann nimm …

- ein Aspirin
- ein Paracetamol
- eine Tablette
- eine Kopfschmerztablette
- einen Kamillentee
- Tee / Milch mit Honig
- eine Wärmflasche
- ein Nasenspray
- ein heißes Bad

4 **Was muss ein verkehrssicheres Fahrrad haben? Schau dir die Broschüre an und mach dann den Sicherheitscheck.**

S. 57

Vokabeln

- das Fahrrad (¨er): *le vélo*
- die Bremse (n): *le frein*
- der Sattel (¨): *la selle*
- der Reifen (-): *le pneu*
- der Verkehr: *la circulation*
- die Sicherheit: *la sécurité*
- sicher: *sûr*
- überprüfen: *vérifier*

Wortschatz aktiv

- Wie fühlst du dich? *Comment te sens-tu ?*
- Ich habe starke Kopfschmerzen. *J'ai très mal à la tête.*
- Ich habe Bauchweh. *J'ai mal au ventre.*
- Ich habe mir das Bein gebrochen. *Je me suis cassé la jambe.*
- Ich habe einen Gips. *J'ai un plâtre.*
- Das ist nur eine kleine Schürfwunde. *Ce n'est qu'une petite écorchure.*

Grammatik

- **L'expression de la condition**
  Wenn du willst, kann ich dich besuchen.
  › GR I p. 80

5 **Ihr wollt eine Fahrradtour machen. Überprüft eure Fahrräder. Sind sie verkehrssicher?**

***Dein Freund**: Hast du Lust auf eine Fahrradtour?*
***Du**: Ja, klar! Ist dein Sattel richtig …?*
***Dein Freund**: …*

Sprich nach

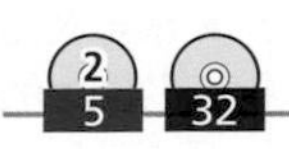

le son „e“ [eː]

gehen – Felix – weh – Tee

Fahr Rad … aber sicher!

Erstelle ein Plakat für eine Informationskampagne.

Fahrradhelm macht Schule

Sicherheitsregeln

Deine Geschichte

A

1 **Au weia! Was ist denn da passiert? Der Lehrer erzählt etwas. Hör zu.**

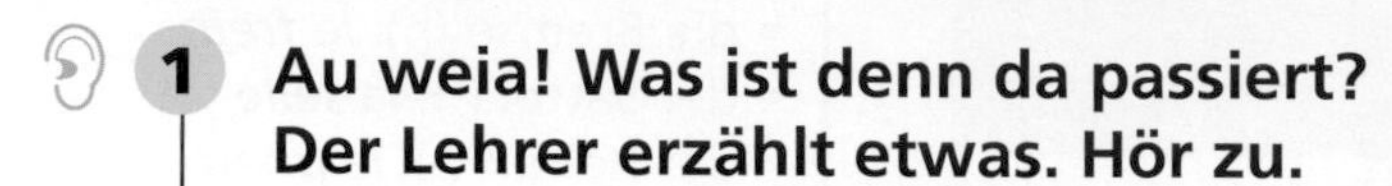

2 6 S. 57

2 **Du machst dir Sorgen. Nach der Schule rufst du bei Finn an.**

a. Oje, Finn erzählt dir seinen Unfall. Hör genau hin.

2 7 S. 59

b. Stelle Finn jetzt Fragen und biete deine Hilfe an.

***Du**: Das ist ja Wahnsinn, Finn. Und wie fühlst du dich jetzt?*
***Finn**: Na ja …*

3 **Mann! Finns Unfall ist echt furchtbar. Informiere dich mal im Internet.** S. 60 A B C

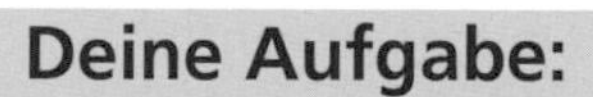

Deine Aufgabe:

4 **So … Du weißt Bescheid. Erstelle nun dein Plakat für die Informationskampagne.**

Vokabeln

- das Licht (er): *la lumière*
- das Auto (s): *la voiture*
- der Unfall (¨e): *l'accident*
- die Sicherheitsweste (n): *le gilet fluorescent*
- das Krankenhaus (¨er): *l'hôpital*
- die Feuerwehr: *les pompiers*
- zu Fuß: *à pied*

Wortschatz aktiv

- Ich fühle mich ziemlich schlapp. *Je me sens assez faible.*
- Mir geht es schon etwas besser. *Je vais déjà un peu mieux.*
- Ich hatte nur ein paar blaue Flecken. *Je n'avais que quelques bleus.*
- Ein Helm kann ein Leben retten. *Un casque peut sauver une vie.*
- Ich rate dir, die richtige Kleidung zu tragen. *Je te conseille de porter des vêtements adaptés.*

Grammatik

- **L'expression de l'ordre et du conseil**
  Du solltest immer eine Sicherheitsweste tragen.
  › GR II p. 80

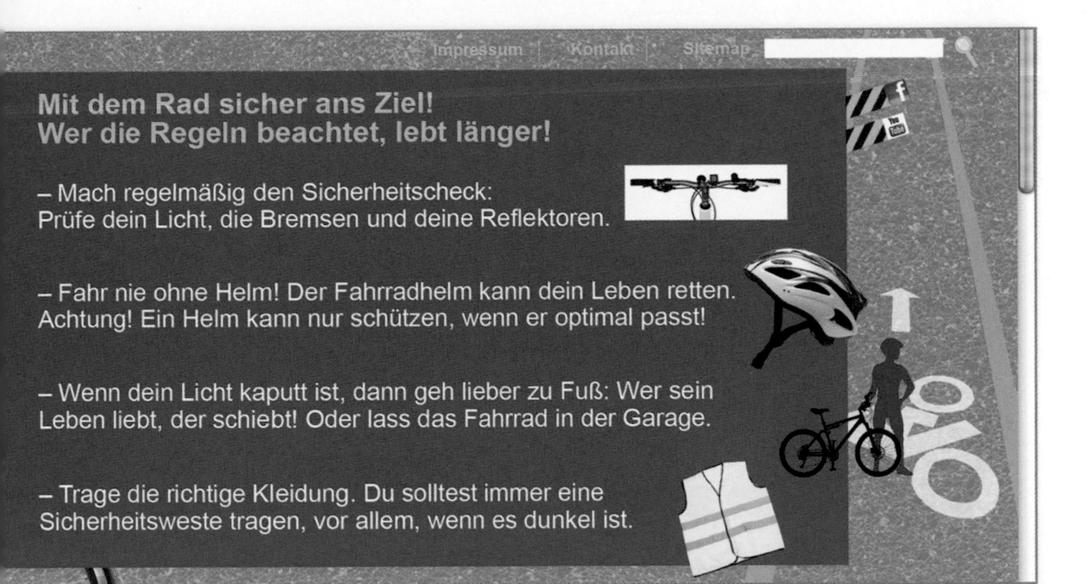

Impressum | Kontakt | Sitemap

Mit dem Rad sicher ans Ziel!
Wer die Regeln beachtet, lebt länger!

– Mach regelmäßig den Sicherheitscheck:
Prüfe dein Licht, die Bremsen und deine Reflektoren.

– Fahr nie ohne Helm! Der Fahrradhelm kann dein Leben retten. Achtung! Ein Helm kann nur schützen, wenn er optimal passt!

– Wenn dein Licht kaputt ist, dann geh lieber zu Fuß: Wer sein Leben liebt, der schiebt! Oder lass das Fahrrad in der Garage.

– Trage die richtige Kleidung. Du solltest immer eine Sicherheitsweste tragen, vor allem, wenn es dunkel ist.

B

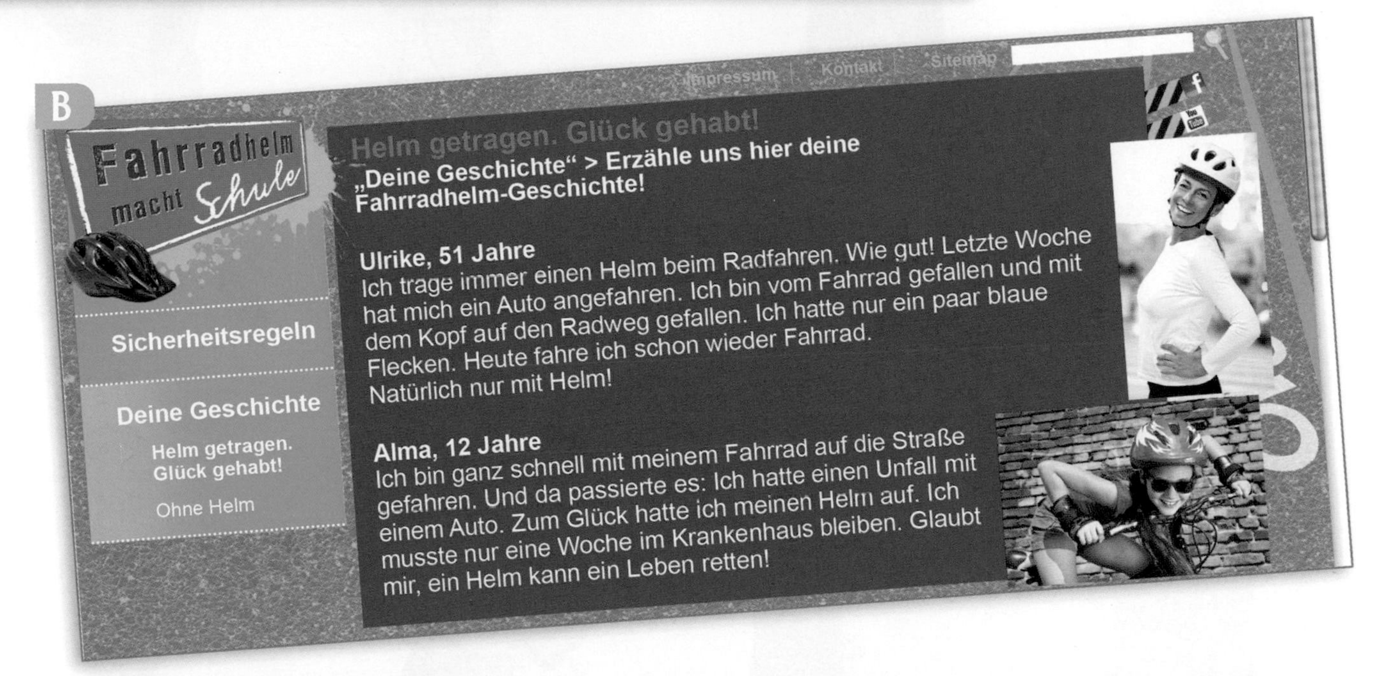

Impressum | Kontakt | Sitemap

Fahrradhelm macht Schule

Sicherheitsregeln

Deine Geschichte

Helm getragen. Glück gehabt!

Ohne Helm

Helm getragen. Glück gehabt!
„Deine Geschichte" > Erzähle uns hier deine Fahrradhelm-Geschichte!

Ulrike, 51 Jahre
Ich trage immer einen Helm beim Radfahren. Wie gut! Letzte Woche hat mich ein Auto angefahren. Ich bin vom Fahrrad gefallen und mit dem Kopf auf den Radweg gefallen. Ich hatte nur ein paar blaue Flecken. Heute fahre ich schon wieder Fahrrad. Natürlich nur mit Helm!

Alma, 12 Jahre
Ich bin ganz schnell mit meinem Fahrrad auf die Straße gefahren. Und da passierte es: Ich hatte einen Unfall mit einem Auto. Zum Glück hatte ich meinen Helm auf. Ich musste nur eine Woche im Krankenhaus bleiben. Glaubt mir, ein Helm kann ein Leben retten!

C

Impressum | Kontakt | Sitemap

Fahrradhelm macht Schule

Sicherheitsregeln

Deine Geschichte

Helm getragen. Glück gehabt!

Ohne Helm

Ohne Helm
So kann es leider enden, wenn du keinen Helm trägst.

Ich bin Lehrerin in Falkenberg. Nie vergesse ich den Donnerstag vor den Herbstferien. Morgens hatte ich in den Nachrichten im Radio gehört, dass eine Radfahrerin im Koma war, weil ein Autofahrer sie nicht gesehen hatte. Ich dachte noch: „Hoffentlich nicht eine aus meiner Klasse". Aber da klingelte schon das Telefon, und eine Kollegin informierte mich, dass Julia den Unfall hatte.
Sie hatte keinen Helm! Warum nur? Bitte Kinder, tragt immer einen Helm und eine Sicherheitsweste!

Wer war es?

1 Wer ist es? Spiele mit der Gruppe das Ratespiel.

***Du**: Ich habe eine Person ausgesucht. Fangt an!*
***Ein Partner**: Ist es ein Junge?*
***Du**: Nein.*
***Ein Partner**: …*

2 Wer ist es? Hör dir die Beschreibung an und sage, welche Person das ist.

3  Hör zu und wiederhole.

4 Oh nein! Ein Einbruch bei Frau Hiller!

a. Was ist passiert? Hör zu.

b. Bei Frau Hiller. Kommissar Schlau macht sich Notizen. Was notiert er?

Vokabeln

- die Handtasche (n): *le sac à main*
- die Jacke (n): *la veste*
- die Mütze (n): *le bonnet*
- der Mantel (¨): *le manteau*
- blaue / braune Augen haben: *avoir les yeux bleus / marron*
- die Brille (n): *les lunettes*

Wortschatz aktiv

- Es handelt sich um einen Einbruch. *Il s'agit d'un cambriolage.*
- Sagen Sie mir genau, was passiert ist. *Dites-moi en détail ce qui s'est passé.*
- Die Bücher sind nicht mehr im Regal. *Les livres ne sont plus sur l'étagère.*
- Alle Kleider liegen auf dem Boden. *Tous les vêtements sont par terre.*

5 Und jetzt du … Übe mit einem Partner.

1

A: Wo ist das Handy? Ich kann es nicht sehen.
B: Vielleicht hast du es auf den Tisch gelegt?
A: Nein, da ist es nicht.
B: Oder ist es unter das Bett gefallen?
A: Unter das Bett? Ja! Tatsächlich! Es liegt unter dem Bett.

2

A: Siehst du den Mann mit dem gelben Pulli?
B: Ja. Mit der blauen Hose?
A: Nein, er trägt eine schwarze Jeans.
B: … und ein grünes T-Shirt?
A: Genau.

Grammatik

- **Les prépositions mixtes**
  Der Skater ist **in** die erste Straße links gerannt.
  Er hat eine Kapuze **auf** dem Kopf.
  › GR III p. 81

le son „j" [j]
Junge – Jacke – ja – jetzt

Deine Aufgabe KAPITEL 6 SZENE 2

Wer war es?

Du schreibst eine Zeugenaussage und beschreibst den Täter.

1 **Na so was! Was passiert da auf dem Schulweg? Hör zu.**

2 **Zu spät in der Schule. Geht sofort zum Direktor und erzählt ihm, was passiert ist.**

***Der Direktor**: Guten Morgen! Na, wieso seid ihr denn nicht im Unterricht?*

***Du**: Guten Morgen, Herr Brückmann. Also, da ist etwas auf dem Schulweg passiert. Und wir waren Zeugen …*

3 **Der Direktor ruft sofort die Polizei an. Der Lautsprecher ist an. Ihr hört zu.**

Deine Aufgabe:

4 **Nimm ein Blatt und schreib jetzt deine Zeugenaussage. Beschreibe den Täter. Sei genau und vergiss keine Details!**

Überfall in der Talhofstraße

Ich ging mit meinen Freunden heute, am …, um … Uhr in die Schule. Da sah ich plötzlich einen Skateboardfahrer. …

5 **Kommissar Falko kommt jetzt mit ein paar Fotos von Verdächtigen. Schaut sie euch an.**

A B C D E F

***Kommissar**: Danke für eure Zeugenaussage. So, ich habe auch schon Fotos von Verdächtigen mitgebracht. Könnt ihr die mal angucken? Seht ihr den Täter?*

***Du**: Hm, ich weiß nicht. Also Bild A, nein das ist nicht der Täter. Der war ja viel schlanker.*

***Ein Freund**: …*

B

C

E

F

Vokabeln

- Hilfe! *À l'aide !*
- der Überfall (¨e): *l'agression*
- der Dieb (e): *le voleur*
- der Geldbeutel (-): *le porte-monnaie*
- der Zeuge (n): *le témoin*
- die Zeugenaussage (n): *le témoignage*
- das Opfer (-): *la victime*
- berichten: *(ici) raconter en détail*

Wortschatz aktiv

- Mir / Uns ist etwas auf dem Schulweg passiert. *Il m'est / Il nous est arrivé quelque chose sur le trajet de l'école.*
- Zuerst sah ich eine ältere Dame. *D'abord, j'ai vu une dame d'un certain âge.*
- Da sah ich plötzlich einen Skateboardfahrer. *Tout à coup, j'ai vu un skateur.*
- Dann hat er die Tasche geklaut. *Ensuite, il a piqué le sac.*
- Schließlich ist der Mann abgehauen. *À la fin, l'homme a fichu le camp.*

Grammatik

- **Le prétérit**
  Es **ging** alles so schnell.
  Da **sah** ich plötzlich einen Skateboardfahrer.
  › GR IV p. 81

 > **Précis grammatical :** I p. 134 - II p. 132 - III p. 125 - IV p. 130

I. L'expression de la condition

La conjonction de subordination ***wenn*** permet d'exprimer la condition.
Si la phrase commence par la proposition subordonnée, la principale peut être introduite par *dann*.

a) Ich gehe zum Arzt, **wenn** ich krank bin.

b) **Wenn** du eine Radtour machen willst, (**dann**) musst du den Sicherheitscheck machen.

Comme dans toute subordonnée, le verbe conjugué est en dernière position.

1 Relie les propositions de chaque colonne de façon à exprimer la condition. Attention au sens !

a. Wenn du Halsschmerzen hast,
b. Wenn ihr hohes Fieber habt,
c. Wenn er sich den Arm bricht,
d. Wenn das Kind sich weh tut,
e. Wenn die Schülerin sich nicht wohl fühlt,
f. Wenn Frau Konrad sich total schlecht fühlt,

1. dann bekommt er einen Gips.
2. dann weint es.
3. dann muss sie sich ausruhen.
4. dann geht sie ins Krankenzimmer.
5. dann bleibt ihr im Bett.
6. dann hast du vielleicht eine Angina.

S. 63

2 Relie les deux phrases afin d'exprimer la condition. Tu utiliseras *wenn*.

a. Du fährst Rad. Du machst den Sicherheitscheck.
b. Ihr fallt. Euer Helm wird euch schützen.
c. Wir tragen unsere Sicherheitsweste. Die Autofahrer sehen uns.
d. Ich stelle meinen Sattel richtig ein. Ich sitze nicht zu hoch.
e. Ich bin an einer Kreuzung. Ich passe auf.
f. Ich will nachts fahren. Ich prüfe Scheinwerfer und Rücklicht.

II. L'expression de l'ordre et du conseil

L'ordre et le conseil peuvent être exprimés de différentes façons dont avec **l'impératif** que vous connaissez déjà (voir *précis grammatical* p. 132).

1. Avec les formes *du solltest* (« tu devrais »), *ihr solltet* (« vous devriez »)
Il s'agit du verbe *sollen* au subjonctif II.

a) **Du solltest** / **Ihr solltet** an der Kreuzung aufpassen.

2. Avec l'expression *ich rate dir / euch ...* (« je te / vous conseille de... »)
Cette expression s'utilise avec un infinitif ou une proposition infinitive complément.

b) Ich **rate dir** / **euch** aufzupassen.
c) Die Polizei **rät euch**, die Scheinwerfer zu überprüfen.

3 Donne un conseil à l'aide du verbe *sollen* au subjonctif II.

a. Ihr macht den Sicherheitscheck.
b. Du trägst deinen Helm.
c. Du nimmst deine Sicherheitsweste mit.
d. Ihr prüft die Bremsen.
e. Ihr stellt den Sattel und den Lenker richtig ein.
f. Du bist immer aufmerksam.

4 Donne un conseil en utilisant cette fois *Ich rate dir / euch.*

a. Fahre nicht zu schnell.
b. Prüft die Bremsen!
c. Trage deinen Helm!
d. Zieht eure Sicherheitsweste an!
e. Pass an der Kreuzung immer auf!
f. Macht regelmäßig den Sicherheitscheck!

III. Les prépositions mixtes

Les prépositions ***in***, ***an***, ***auf***, ***neben***, ***vor***, ***hinter***, ***über***, ***unter***, ***zwischen*** sont des prépositions qui permettent d'introduire des compléments de lieu.

Avec le **directif**, il y a un déplacement ; le complément de lieu répond à la question ***wohin?*** et il est à l'**accusatif**.

a) Wohin fährt er? → Er fährt **in die Schule**.

On parle de **locatif** quand il s'agit du lieu où se trouve une personne, un objet ; le complément de lieu répond à la question ***wo?*** et il est au **datif**.

b) Wo sitzt Lara? → Lara sitzt **neben ihrer Freundin und ihrem Bruder**.

Ces prépositions sont dites « mixtes » parce qu'elles introduisent un complément qui peut être à l'accusatif ou au datif.

5 – **6** S. 63-64

7 Pose la question se rapportant au groupe souligné en utilisant *wo?* ou *wohin?*. Explique ton choix.

a. Die Frau will in die Stadt gehen.
b. Sie ist auf dem Trottoir.
c. Plötzlich kommt ein Skateboardfahrer, nimmt die Tasche der Dame und fährt in die Orionstraße.
d. Drei Schüler gehen in die Schule und hören die Schreie der Dame. Aber der Skater ist schon weg.
e. Sicher ist die Handtasche in seinem Rucksack.

IV. Le prétérit

Le prétérit est le temps simple du passé. Il correspond à l'imparfait et au passé simple français. Il est souvent utilisé à l'écrit. À l'oral, on utilise surtout le prétérit de *sein*, *haben* et des verbes de modalité.

a) Ach, es **ging** alles so schnell!
b) Der Dieb **hatte** eine schwarze Hose.

On forme le **prétérit des verbes faibles** en ajoutant ***-te*** au radical du verbe.

On forme le **prétérit des verbes forts** à partir du radical modifié du verbe.

machen (faible)	
ich	mach**teØ**
du	mach**test**
er / es / sie	mach**teØ**
wir	**machten***
ihr	mach**tet**
sie / Sie	mach**ten***

fahren (fort)	
ich	fuhr**Ø**
du	fuhr**st**
er / es / sie	fuhr**Ø**
wir	fuhr**en**
ihr	fuhr**t**
sie / Sie	fuhr**en**

** te + en = ten*

Il faut apprendre par cœur le prétérit des verbes forts, les modifications ne sont pas prévisibles !

8 Mets les phrases proposées au prétérit. Il n'y a que des verbes faibles !

a. Auf dem Schulweg passiert es!
b. Ein Skater klaut die Handtasche der alten Dame.
c. Die alte Dame weint heftig.
d. Wir trösten sie.
e. Und wir sagen ihr: „Wir wollen Ihnen helfen!"
f. Wir erzählen dann alles der Polizei.

9 S. 64

10 Mets le texte proposé au prétérit. Aide-toi de la liste de verbes forts à la fin du livre.

a. Ich will mit dem Rad fahren. Die Bremsen funktionieren perfekt. Die Klingel ist laut genug.
b. Du bist auf dem Weg zur Schule. Da kommt ein Auto, der Autofahrer sieht dich nicht und fährt dich um. Du fällst und musst ins Krankenhaus.

Pour donner un conseil en allemand et en anglais.
On peut utiliser le verbe de modalité qui correspond à *devoir* en français au subjonctif.
Ihr **solltet** einen Helm tragen. > You **should** wear a helmet.

Comic

Hallo Nick! Bist du bereit? Fahren wir zum See?
Hallo Hanna. Wo ist dein Helm?
Helm?! Spinnst du?! Und meine Frisur?
Frisur hin oder her. Sicherheit geht vor! Ohne Helm fahre ich nicht mit dir zum See.
Hier, probier mal an. Passt der?
Du musst natürlich den Helm richtig einstellen!
Halt Nick! Du hast die Sicherheitswesten vergessen!
Oh Mann! Jetzt auch noch diese Scheiß-Weste!
Danke, Mama.
Na, geht's? Sitzt meine Frisur noch?
Ja, alles klar. Kein Problem!

1 Vokabeltraining

Im Krankenhaus ... Was sagen diese Patienten dem Arzt?

2 Vokabelmemo

1. Kreuzworträtsel. Finde die Wörter aus Szene 1. S. 65

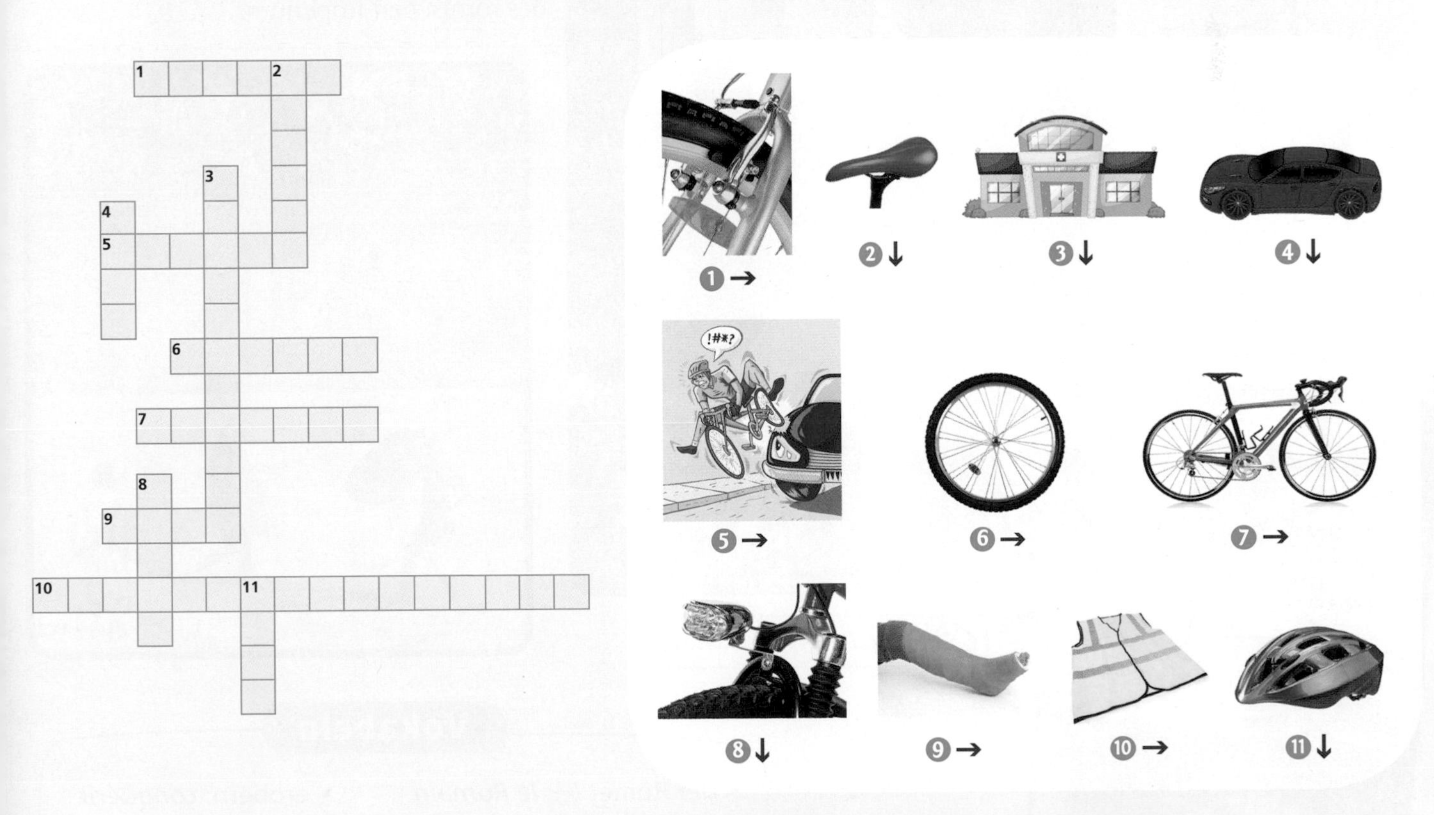

2. Oh! In dieser Zeugenaussage fehlt etwas! Bist du ein guter Detektiv? Dann ergänze die fehlenden Wörter und finde den Täter!  S. 65

Der Römerpark in Xanten

Auf den Spuren der Römer. Lies den Text.

S. 66

Im Römerpark in Xanten kannst du mehr über das Leben der Römer in Germanien erfahren.
Sie hatten hier um 100 n. Chr. eine große Kolonie gegründet.
Es lebten dort acht- bis zehntausend Menschen.
Im Park kannst du die imposante Stadtmauer, Tempel, die Thermen, Wohnhäuser und das Amphitheater entdecken.
Wenn du Hunger hast, kannst du in dem römischen Restaurant typische Gerichte nach Originalrezepten essen.
Beim Römerfest „Schwerter[1], Brot und Spiele" kannst du viele Legionäre und Gladiatoren sehen.
Die Römer spielten gerne Brettspiele[2], Ballspiele, Denk- und Glücksspiele.
Am meisten gefielen ihnen Würfelspiele.
Es gab ähnliche Spiele wie Mühle, Dame oder Backgammon.

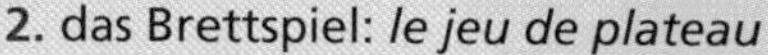

1. das Schwert: *l'épée*
2. das Brettspiel: *le jeu de plateau*

Die Römer in Germanien

S. 67

Tja, die Römer waren nicht nur in Gallien!
Ende des 1. Jahrhundert v. Chr. hatten die Röme[r] Germanien bis zur Elbe erobert. Aber Arminius, ein germanischer Fürst, besiegte den römischen General Varus im Jahr 9 n. Chr. in der Varusschlacht.
Der Rhein und die Donau waren nun die Grenze des römischen Imperiums.

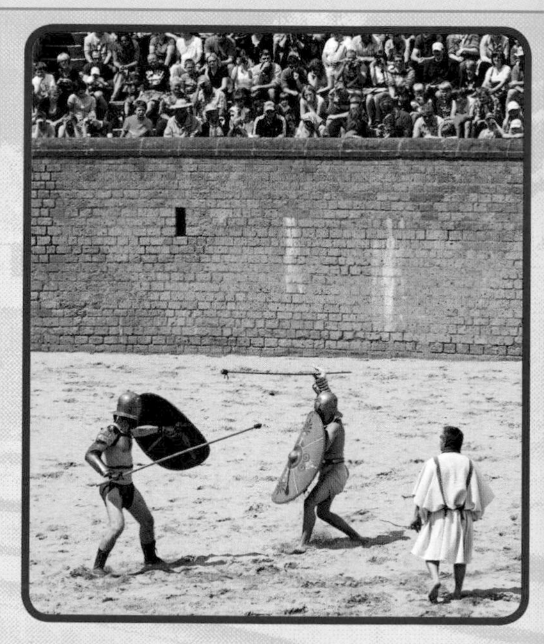

http://www.apx.lvr.de

Vokabeln

- der Römer (-): *le Romain*
- die Schlacht (en): *la bataille*
- die Mauer (n): *le mur*
- erobern: *conquérir*
- besiegen: *vaincre*
- gründen: *fonder*

FELIX BAUMGARTNER, ein Extremsportler

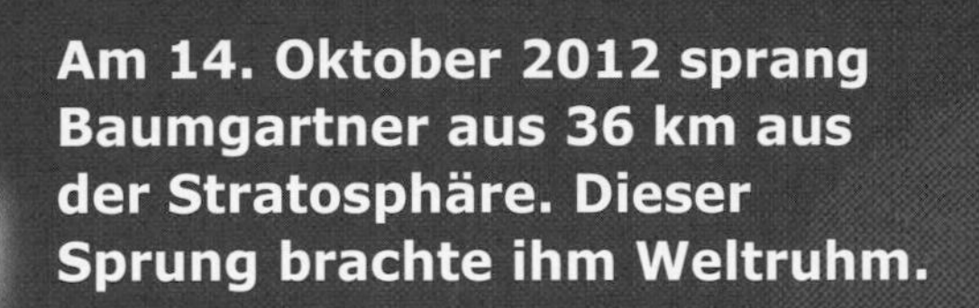

Am 14. Oktober 2012 sprang Baumgartner aus 36 km aus der Stratosphäre. Dieser Sprung brachte ihm Weltruhm.

Felix' Anfänge im Extremsport

Felix Baumgartner ist am 20. April 1969 in Salzburg (Österreich) geboren. Über seine Militärausbildung kam Felix zum **Fallschirmspringen**. 1996, also mit 27 Jahren, machte er seinen ersten **Objektsprung**. Das ist ein Sprung mit einem Fallschirm von einem festen Untergrund, auch **„BASE-Jump"** genannt. Ein Jahr nach seinem ersten Sprung, also 1997, ist Baumgartner dann professioneller BASE-Jumper mit einem offiziellen Sponsor: Sein Sponsor ist die österreichische Marke Red Bull. 1997, also mit 28 Jahren, gewinnt er den **Weltmeistertitel** im BASE-Jumping.

Felix' Sprünge

Felix hat in seinem Leben weit über 2600 Sprünge, davon 130 Objektsprünge, gemacht. Er hat viele **Weltrekorde** aufgestellt, hier nur ein paar:

- 1999: **höchster BASE-Sprung** von den Petronas Twin Towers (451 Meter) in Kuala Lumpur (Malaysien) und **niedrigster BASE-Sprung** von der Jesus-Statue (29 Meter) in Rio de Janeiro (Brasilien);
- 2004: Sprung von der höchsten Brücke der Welt (Millau-Brücke in Frankreich, 343 Meter).

Von extrem schnell zu extrem ruhig

Felix' Codename ist B.A.S.E. 502. Man sagt, dass er der mutigste Mann der Welt ist. Er lebt heute in der Schweiz und in den USA. Seine Hobbys sind Klettern, Boxen, Moto-Cross fahren und Helikopter fliegen. Sein Leben als BASE-Jumper ist für ihn beendet. Er kann seinen Sprung nicht mehr verbessern und hat seiner Mutter versprochen, dass er nicht mehr springt.

Vokabeln

- das Fallschirmspringen: *le saut en parachute*
- der Objektsprung (¨e): *le BASE jump*
- der Sprung (¨e): *le saut*
- der Weltrekord (e): *le record du monde*
- mutig: *courageux*

www.felixbaumgartner.com

Fülle das Starporträt aus.  S. 67

Compréhension orale

S. 67

1 Mist, Anruf verpasst! Hör diese Nachricht auf deinem Anrufbeantworter an.

➔ Je suis capable de comprendre comment va un ami malade et ce qui lui est arrivé.

Expression écrite

2 Leider ist der Arzt momentan gegen einen Krankenbesuch. Schreibe deshalb deinem Freund einen netten Brief und gib ihm auch Sicherheitstipps.

➔ Je suis capable de proposer mon aide à un ami malade et de lui donner des conseils de sécurité.

Lieber Moritz! ...

Compréhension écrite

3 Du bist Klassensprecher und bekommst diese schriftliche Zeugenaussage. Lies sie.

➔ Je suis capable de comprendre un témoignage écrit sur un incident.

An den Klassensprecher!

Ich habe einen Dieb gesehen! Ich war Zeuge. Es war kein Überfall. Das war im Sportunterricht. Ein Schüler hat einen Geldbeutel und ein Handy aus dem Rucksack von einem anderen Schüler geklaut. Der Dieb hat den Geldbeutel und das Telefon in seine Hosentasche getan und ist schließlich auf die Toilette gegangen. Ich kenne das Opfer, aber nicht den Dieb! Aber was soll ich jetzt machen? Ich kann alles berichten, aber ich habe Angst. Ich habe dem Lehrer und dem Opfer nichts gesagt. Was soll ich jetzt bloß machen?

T. M.

Expression orale en interaction

4 Du weißt genau, dass „T. M." Tim Müller ist. Sprich mit ihm und frage nach der Täterbeschreibung.

➔ Je suis capable d'échanger avec quelqu'un sur la description physique d'un tiers et sur le déroulement d'un vol.

Expression orale en continu

5 Du musst dem Opfer helfen! Geh jetzt zum Klassenlehrer und erzähle ihm alles.

➔ Je suis capable de raconter en détail un vol en décrivant le coupable.

Promis haben Fans

BUCH 2
Kapitel 7

Tes objectifs

SZENE **1**

- Tu sauras décrire quelqu'un et donner ton avis sur son look.
- Tu sauras comprendre la description d'un objet.

SZENE **2**

- Tu sauras parler de programmes de télévision et de films.
- Tu sauras présenter un film et ses acteurs.

Ton projet

SZENE **1**
Tu vas choisir un cadeau dans un catalogue. 

SZENE **2**
Tu vas participer à la sélection d'un film pour un festival dans ton école.

KULTUR PUR

Land Art
Kunst in und mit der Natur

STARPORTRÄT

Josefine Preuß
Eine Schauspielerin

Auf ins Training! KAPITEL 7 SZENE 1

Auf in den Fanshop

1 Deine Tante Ulrike war in München. Sie hat euch Geschenke mitgebracht.

① das Trikot

② der Bayern-Regenschirm

③ der Lederhosen-Geldbeutel

④ die München-Tasse

⑤ die München-Tasche

⑥ das Kapuzenhandtuch

Leon (du)
Christian (der Vater)
Iris (die Mutter)
Lola (die große Schwester)
Anna (die kleine Schwester)
Nick (das Baby)

a. Wer bekommt was? Hör zu.   S. 69

b. Wer hat was bekommen? Schreibe deinem Opa eine Postkarte.

2 Und jetzt du ... Übe mit einem Partner.  

1
A: Ich brauche ein Geschenk für meine beste Freundin. Hast du eine Idee?
B: Schenk ihr doch eine CD.
A: Au ja! Gute Idee. Danke.

2
A: Wie gefällt dir dieses T-Shirt?
B: Dieses T-Shirt? Das ist doch furchtbar.
A: Hm ... Und wie findest du dann die rote Kappe?
B: Die rote Kappe gefällt mir ganz gut.

Julias Homepage. Was schreibt sie über Cathy Fischer?

S. 69

JULIAS BLOG

Hallo Freunde,

ihr wisst ja schon, dass ich ein totaler Fan von Cathy Fischer bin. Ich lese alles, was ich im Internet und in der Zeitung über Cathy Fischer und ihren Fußballer-Mann Mats Hummels finden kann.

Ich finde wirklich, dass Cathy Fischer die schönste Spielerfrau ist. Habt ihr ihre tollen langen Haare und ihre hübschen blauen Augen gesehen? Wisst ihr, warum Cathy Fischer die beliebteste Spielerfrau Deutschlands ist? Sie ist natürlich die attraktivste von allen Spielerfrauen. Aber nicht nur das! Sie ist auch die intelligenteste, denn sie ist eine ausgezeichnete Reporterin. Sie arbeitet für die Zeitschrift Closer.

Ich sammle Fotos von Cathy Fischer für mein Album. Bitte, helft mir! Wenn ihr ein Foto im Internet findet, könnt ihr mir dann den Link schicken? Danke! Bitte keine Fotos von den anderen Spielerfrauen! Die sehen doch echt peinlich aus!

Vokabeln

- das Trikot (s): *le maillot*
- das Geschenk (e): *le cadeau*
- furchtbar: *affreux*
- jdm etwas schenken: *offrir qc à qn*
- jdm etwas geben (i, a, e): *donner qc à qn*
- jdm etwas mitbringen (brachte, gebracht): *apporter qc à qn*

Wortschatz aktiv

- Das Mädchen sieht attraktiv aus. *Cette fille est séduisante.*
- Ich finde diese Frau echt süß. *Je trouve cette femme vraiment mignonne.*
- Wer / Was gefällt dir am besten? *Qui / Qu'est-ce que tu préfères ?*
- Der / Die sieht doch echt peinlich aus. *Il / Elle a franchement l'air ridicule.*

Sprachmusik Hör zu und wiederhole.

Und jetzt du … Übe mit einem Partner.

A: Wie findest du Cathy Fischer?

B: Cathy Fischer? Ich finde sie echt süß. Für mich ist sie die schönste Frau Deutschlands.

A: Ach ja? Ich dachte dir gefällt Josefine Preuß so gut.

B: Was? Josefine Preuß? Spinnst du? Die sieht doch echt peinlich aus!

Grammatik

- **Les verbes à double complément**
  Sie schenkt meine**m** Bruder eine**n** Geldbeutel.
  › GR I p. 96

Sprich nach

le son „in" [ɪn]

intelligent – Internet – finden – Freundin

Auf in den Fanshop

Suche für eine Freundin ein Geschenk aus dem DFB-Fanshop aus.

1 **Diskussion in der Pause. Wer findet wen am besten und am schönsten? Hör zu.** 2 24 S. 70

Jérôme Boateng

Justin Bieber

Gabriela Isler

Heidi Klum

Anja Kling

2 **Und deine Meinung? Mach bei der Diskussion mit.**

***Du**: Also ich finde … am schönsten.*
***Ein Freund**: Ach ja, warum denn?*
***Du**: …*

3 **Wieder im Unterricht.**

a. Lukas schreibt dir eine Nachricht. Lies sie. A

b. Schreib Lukas zurück.

4 **Was würde Lola wohl gefallen? Schau dir den Katalog an.** B

S. 71

Deine Aufgabe:

5 **Was könntet ihr Lola schenken? Diskutiere mit Lukas.**

***Lukas**: Schau mal, das Heimtrikot sieht doch gut aus.*
***Du**: Hm …*

A

Hast du gehört, wie Lola von Boateng geschwärmt hat? Weißt du, dass sie nächste Woche Geburtstag hat? Sollen wir ihr etwas aus dem DFB-Fanshop schenken?

Schülerkalender

8€95

17 Monate mit der deutschen Nationalmannschaft!
Die DFB-Schüleragenda macht´s möglich.
Kalenderbuch mit vielen Tipps, Fotos der Fußballstars, Infos und den Schulferien.

Kappe Heimtrikot

17€95

Diese Kappe der deutschen Nationalmannschaft gehört zur perfekten Fanausstattung, mit den neuen Farben und dem klassischen Adler mit den drei Titelsternen.
Auf der Rückseite kannst du einen Spielernamen aufdrucken lassen.

Heimtrikot WM

69€95

Das Heimtrikot der deutschen Nationalmannschaft im Damenschnitt.
Tolles Design, ausgezeichnete Qualität – dieses Trikot der deutschen Nationalmannschaft zur WM ist ein Muss!
Die ClimaCool-Technologie ist die modernste Textilinnovation.
Der kleine, silberfarbene Text „Die Nationalmannschaft" macht das Trikot einzigartig.
Mit feminin tailliertem Schnitt und tiefem V-Ausschnitt kennt der Fan-Look keine Grenzen.
Individualisierung möglich: Lasse deinen Namen oder einen Spielernamen hinten aufdrucken.

Auswärtstrikot Frauen EM

69€95

Das ist das absolute Glückstrikot der Frauenmannschaft. Dieses Trikot ist legendär, weil die Mannschaft mit dem Trikot noch nie ein Spiel verloren hat!
Perfekter femininer Schnitt, tolles Design. Ideal als Fan-Outfit oder zu Hause beim Gartenfest.

Vokabeln

- schlank: *mince*
- muskulös: *musclé*
- einzigartig: *unique*
- das Gesicht (er): *le visage*
- die Frisur (en): *la coiffure*
- die Ausstattung (en) : *l'équipement*
- von jdm schwärmen: *parler avec enthousiasme de qn*
- aufdrucken: *imprimer (sur)*

Wortschatz aktiv

- Der Sportler hat eine tolle Figur.
  Ce sportif est bien bâti.
- Die Sängerin hat Stil.
  Cette chanteuse a de la classe.
- Der / Die ist zum Anbeißen.
  Il / Elle est à croquer.
- Der feminine Schnitt ist echt perfekt.
  Cette coupe féminine est parfaite.
- Ich finde, das Glückstrikot ist das passendste Geschenk.
  Je trouve que le maillot porte-bonheur est le cadeau le plus adapté.

Grammatik

- **Le superlatif**
  Cathy Fischer ist die beliebt**este** Spielerfrau.
  › GR II p. 96

Film ab!

1 Was kommt heute Abend im Fernsehen?

a. Tolles Programm heute! Was möchtest du dir gerne anschauen? Lies das Fernsehprogramm. S. 72

Das Erste ARD Das Erste	ZDF	RTL	SAT 1	Pro 7
19.20	19.00	18.30	19.10	18.40
Lindenstraße *Serie, DL 13*	**Heute** *Nachrichten*	**Exclusiv** *Starmagazin*	**Navy CIS** *Krimiserie*	**Die Simpsons** *Zeichentrickfilm*
20.00	19.30	19.00	19.55	19.05
Tageschau *Nachrichten*	**Terra X** Wildes Mittelmeer *Doku*	**Alarm für Cobra 11** *Aktionsserie*	**SAT 1** *Nachrichten*	**Galileo** *Wissensmagazin*
20.15	20.15	20.15	20.15	20.15
Tatort Mord auf Langeoog *TV-Krimi*	**Fußball** DFB Pokal Bayern München – VfB Stuttgart *Sport*	**Bauer sucht Frau** *Serie*	**The Voice of Germany** *Musikshow*	**Männerherzen … und die ganz ganz große Liebe** *Komödie*
21.45	22.15	22.15	22.30	22.35
Günther Jauch Live Talk *Talkshow*	**SOKO Köln** *Krimiserie*	**Der Deutsche Comedy Preis** *Galashow*	**Die strengsten Eltern der Welt** *Doku-Soap-Serie*	**Stargate** *Sciencefiction-Serie*

b. Oh je! Dein Vater will Fußball sehen! Sucht zusammen eine Lösung.

Du: *Oh, wie toll! Heute Abend kommt … Das möchte ich mir unbedingt anschauen!*
Dein Vater: *Nein, auf keinen Fall! Ich schaue mir heute Abend das Fußballspiel an.*
Du: *…*

2  Hör zu und wiederhole.  

3 Und jetzt du … Übe mit einem Partner. 

1

A: Was schaust du dir gerne im Fernsehen an?
B: Ich sehe gerne Musikshows oder Casting-Shows.
A: Ich schaue mir gerne Sportsendungen an. Magst du auch Sportsendungen?
B: Ja, aber am liebsten schaue ich mir Fantasy-Filme an.

2

A: Ich möchte einen Krimi sehen.
B: Einen Krimi. Ja! Heute Abend kommt Navy CIS.
A: Um wie viel Uhr?
B: Um 19.10 Uhr.

4 Ein Kinoabend mit Anna.

a. Anna möchte ins Kino. Welchen Film schlägt sie dir vor? Hör ihr zu.

b. Klingt gut! Toller Film, toller Schauspieler … Da willst du mehr erfahren. Informiere dich im Internet.

Inhalt | Schauspieler | Bilder | Videos | Downloads | Musik

Ron Howard erzählt in seinem Film die Geschichte und das Duell der Formel-1-Rennfahrer Niki Lauda (Daniel Brühl) und James Hunt (Chris Hemsworth). Sie sind Rivalen und wollen beide Weltmeister werden.
1976 hat Nicki Lauda beim deutschen Grand Prix am Nürburgring einen dramatischen Unfall. Er verliert fast[1] das Leben. Doch schon sechs Wochen später fährt er wieder Rennen gegen Hunt.

FSK: ab 12
Genre: Action, Sport, Biografie
Länge: 123 Min.
Land: USA, Deutschland, UK
Darsteller: Chris Hemsworth (James Hunt), Natalie Dormer (Gemma), Olivia Wilde (Suzy Miller), Daniel Brühl (Niki Lauda)
Regie: Ron Howard
Drehbuch: Peter Morgan

1. fast: *presque*

Inhalt | Schauspieler | Bilder | Videos | Downloads | Musik

Daniel Brühl
(*1978, Barcelona, Spanien)

Der internationale Erfolg ist da!

Der deutsch-spanische Schauspieler, der mit *Good Bye, Lenin!* seinen ersten großen Erfolg hatte, ist ein internationaler Filmstar geworden. Er hat in über 40 Filmen gespielt. In *Der ganz große Traum* spielt er einen Englischlehrer, der das Fußballspiel nach Deutschland bringt. Seine letzten Erfolge sind *Rush – Alles für den Sieg* und *Inside Wiki-Leaks – Die fünfte Gewalt*.
Brühl ist ein enorm guter Schauspieler, der sehr verschiedene Rollen spielen kann: deutsche Soldaten (*Merry Christmas, Inglourious Basterds*), einen Romanautor (*Lila Lila*), einen Englischlehrer (*Der ganz große Traum*) oder einen Ethnologie-studenten (*Et si on vivait tous ensemble ?*).

5 Wer ist dein Lieblingsschauspieler? Mach eine Computerpräsentation und stelle ihn der Klasse vor.

Vokabeln

- das Fernsehprogramm (e): *le programme télé*
- die Nachrichten (*pl.*): *les informations*
- der Krimi (s): *le policier (film)*
- fernsehen (ie, a, e): *regarder la télévision*
- (sich) eine Sendung anschauen: *regarder une émission*

Wortschatz aktiv

- Er ist mein absoluter Lieblingsschauspieler. *Il est vraiment mon acteur préféré.*
- Er hat schon total viele Filme gedreht. *Il a déjà tourné beaucoup de films.*
- Er spielt einen jungen Mann, der Romanautor ist. *Il joue un jeune homme qui est un auteur de romans.*
- Er spielt die Haupt- / Nebenrolle. *Il joue le rôle principal / le second rôle.*

Grammatik

- **La proposition relative au nominatif**
  Der Schauspieler, **der** die Hauptrolle spielt, ist wirklich toll.
  › GR III p. 97

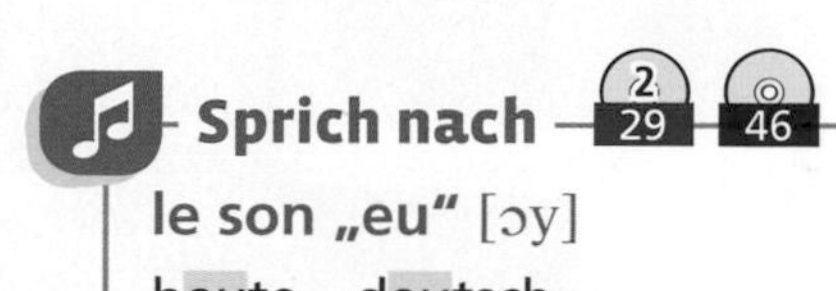

Sprich nach 2 29 46

le son „eu“ [ɔy]
heute – deutsch – Abenteuer – neu

Deine Aufgabe · KAPITEL 7 SZENE 2 · Film ab!

Stelle dem Festivalkomitee die Filmauswahl deiner Klasse vor.

1 **Aufgepasst! Der Lehrer hat wichtige Informationen. Hör zu.** 2 30 S. 74

2 **Welche Filme könnt ihr vorschlagen? Guck mal im Internet.** A B C S. 74

3 **Na dann! Suche noch mehr Informationen über die Filme und die Schauspieler und schau die Trailer an.** S. 75

Mehr Informationen zu den Filmen gibt es unter:

- www.constantin-film.de/kino/das-haus-der-krokodile/
- www.kino.de/kinofilm/almanya-willkommen-in-deutschland/65876
- www.moviepilot.de/movies/vorstadtkrokodile-3#

4 **Bereite deine Präsentation vor. Deine Notizen im Arbeitsbuch helfen dir.**

Deine Aufgabe:

5 **Stelle dem Festivalkomitee eure Auswahl für das Festival vor.**

C

A

Viktor ist mit seiner Familie in die geheimnisvolle Villa seines alten Onkels eingezogen. Im Arbeitszimmer seines Onkels findet er das Tagebuch, das seiner Großkusine Cäcilia gehört hat. Cäcilia ist vor 40 Jahren auf mysteriöse Weise in der Villa ums Leben gekommen[1]. Viktor will das Rätsel lösen. Er sieht eine geheimnisvolle Gestalt in einem Spiegel und findet immer wieder viele ausgestopfte Krokodile ohne Augen.
Was ist das Geheimnis der Villa?

*Kristo Ferkic (*1998) steht seit er 6 Jahre alt ist vor der Kamera. In seiner ersten Kinorolle hat er den jungen König Henri IV gespielt. In* Das Haus der Krokodile *spielt er die Hauptrolle: Er ist Viktor. Seine Schwestern Vijessna und Joanna spielen auch in dem Film.*

1. ums Leben kommen: *perdre la vie*

in ich Türke oder Deutscher?
)as fragt sich der sechsjährige Cenk (Rafael Koussouris), weil er in der Schule weder in der
eutschen noch in der türkischen Fußballmannschaft spielen darf.
)er Film erzählt über drei Generationen die Geschichte und die Integration einer türkischen
amilie in Deutschland. Cenks Großvater, den Fahri Ogün Yardim spielt, ist in den 60er Jahren mit
einer Familie als der 1.000.001 Gastarbeiter aus der Türkei nach Deutschland gekommen.
5 Jahre später kauft er in der Türkei ein Haus, in dem er mit der ganzen Familie Ferien machen will.
)och die Familie ist nicht begeistert und auf der Reise in die Türkei gibt es Probleme und Konflikte.

*ahri Ogün Yardim (*1980) ist ein deutsch-türkischer Schauspieler. Er hat viele Filme fürs Fernsehen gedreht:
r war zum Beispiel der Hauptdarsteller in der Serie* König von Kreuzberg. *Seine erste Hauptrolle im Kino
pielte er in* Chiko. *Außerdem hat er verschiedene Filme mit Til Schweiger gedreht, so zum Beispiel* Wo ist
red?, Keinohrhasen *oder* Kokowääh. *Seit 2013 spielt er mit Til Schweiger im* Tatort in Hamburg.

VORSTADTKROKODILE 3

ie coolste Bande der Welt kehrt zurück!
ie Bande der Vorstadtkrokodile feiert Hannes' 13. Geburtstag und den Start
den Sommer. Die Freunde machen ein Kart-Rennen, bei dem es einen
ramatischen Unfall gibt. Frank ist schwer verletzt, er braucht eine neue Leber[1].
er einzige kompatible Spender[2] ist sein Bruder Dennis, der aber im Gefängnis[3]
tzt. Die Vorstadtkrokodile beschließen, Dennis aus dem Gefängnis zu holen.
in neues Abenteuer beginnt …

*Leonie Tepe (*1995 in Köln), die eine deutsche Nachwuchsschauspielerin ist, spielt in den drei Kinofilmen* Vorstadtkrokodile *die Rolle der Maria. In den Kinderkrimis* Taco und Kaninchen *hat sie ihre erste Hauptrolle im Fernsehen gespielt. Seitdem spielt sie immer wieder in verschiedenen Fernsehfilmen und Serien, wie zum Beispiel* SOKO Köln.

1. die Leber: *le foie*
2. der Spender: *le donneur*
3. das Gefängnis: *la prison*

Vokabeln

- das Filmfestival (s): *le festival de cinéma*
- der Regisseur (e): *le réalisateur*
- die Handlung (en): *l'intrigue*
- in einem Film spielen: *jouer dans un film*
- vor der Kamera stehen* (stand, gestanden): *être devant la caméra*

Wortschatz aktiv

- In dieser Serie ist er der Hauptdarsteller. *Dans cette série, il est l'acteur principal.*
- Sie ist das aktuelle Nachwuchstalent. *Elle est le jeune talent en vogue.*
- Der Film handelt von (+ D) … *Le film parle de…*
- Die Geschichte spielt in … *L'histoire se passe en / à…*
- Der Film kam 2014 in die Kinos. *Le film est sorti en 2014 au cinéma.*

Grammatik

- **La proposition relative à l'accusatif et au datif**
  Der Film, **den** ich gestern gesehen habe, war toll.
  Der Regisseur, mit **dem** Til Schweiger einen Film gedreht hat, ist noch nicht berühmt.
  › GR III p. 97

I. Les verbes à double complément

Certains verbes peuvent avoir deux compléments. En général, la personne qui est le bénéficiaire de l'action est au datif, la « chose » dont on parle est à l'accusatif.

Quand les deux compléments sont sous forme de groupe nominal, c'est le datif qui est avant l'accusatif.

a1) Tante Ulrike hat den Kindern *(datif)* **ein Geschenk** *(accusatif)* mitgebracht.
b1) Schreibe deinem Opa *(datif)* **eine Postkarte** *(accusatif)*.

Quand un seul des deux compléments est sous forme de groupe nominal et que l'autre est sous forme de pronom, le pronom se place avant le groupe nominal.

a2) Tante Ulrike hat ihnen *(datif)* **ein Geschenk** *(accusatif)* mitgebracht.
b2) Schreibe **sie** *(accusatif)* deinem Opa *(datif)*.

Quand les deux compléments sont sous forme de pronom, c'est l'accusatif qui est avant le datif.

a3) Tante Ulrike hat **es** *(accusatif)* ihnen *(datif)* mitgebracht.
b3) Schreibe **sie** *(accusatif)* ihm *(datif)*.

1 S. 76

2 Forme des phrases commençant par *Ich schenke* à partir des éléments suivants. Décline bien les groupes nominaux et attention à leur ordre !

a. viele frische Brezeln – die Kinder
b. der FC Bayern-Fan – ein FC Bayern-Ball
c. das hübsche Dirndlkleid – das nette Mädchen
d. eine Dose Weißwurst – die ganze Familie
e. der Freund – der Lederhosen-Geldbeutel
f. die Freundin – der große Bayern-Schirm

3 Remplace les groupes soulignés par le pronom qui convient. Attention à l'ordre !

a. Ich schreibe meinen Großeltern eine Postkarte.
b. Er kauft seinem Freund einen FC Bayern-Kalender.
c. Ihr schickt eurer Freundin ein Buch über München.
d. Wir geben dem Kind einen tollen Ball.
e. Sie bringt ihrer Familie leckere Brezeln mit.

II. Le superlatif

RAPPEL

Le superlatif
Il sert à exprimer le degré le plus élevé d'une caractéristique et se forme en ajoutant *-st* à l'adjectif ou à l'adverbe.
Utilisé comme adjectif, il est placé devant le nom, est épithète et se décline. Il concerne alors une seule personne, ou un seul « objet ».

a) Sie ist die **tollste** Fußballerfrau!
b) Das FC Bayern-Trikot ist das **schönste**!

Il peut s'utiliser comme « superlatif absolu ». L'adjectif – ou adverbe – est après *am* et se termine par *-en*.

a) Diese Frau ist wirklich **am** intelligentesten.
b) Diesen Fußballspieler mag ich **am** liebsten.

Attention : les adjectifs monosyllabiques qui prennent une inflexion au comparatif en prennent une au superlatif (voir le *précis grammatical* p. 127).

Pour les adjectifs se finissant par *-t*, par exemple, on intercale un -e- entre le *t* et le *st* : *am nettesten*.

Il y a aussi des superlatifs irréguliers (voir le *précis grammatical* p. 127).

❹ Fais de l'adjectif entre parenthèses un adjectif épithète au superlatif. S. 76

a. Die Weißwürste sind die **...** Würste. (gut)
b. Ich habe die **...** deutsche Stadt besucht. (schön)
c. Das FC Bayern-Trikot ist wirklich das **...** Trikot. (toll)
d. Die Mutter findet, dass der Lederhosen-Geldbeutel das **...** Geschenk ist. (hässlich)
e. Ich habe den **...** Regenschirm. (groß)
f. Tante Ulrike ist die **...** Tante. (nett)

❺ S. 76

III. La proposition subordonnée relative

1. Elle est reliée à la proposition principale par un pronom relatif ; elle dépend d'un nom appelé « antécédent du pronom relatif », qu'elle définit et auquel elle apporte une précision.

Le pronom relatif a **le même genre et le même nombre que son antécédent, mais son cas dépend de sa fonction dans la proposition relative.**

a) Daniel Brühl ist ein Schauspieler, **der** viele Rollen spielen kann.

Le pronom ***der*** est masculin singulier, comme son antécédent *ein Schauspieler* ; il est au nominatif car c'est le sujet de *kann*.

b) Die Musikshow, **die** ich gesehen habe, ist einfach toll!

Le pronom ***die*** est féminin singulier, comme son antécédent *die Musikshow* ; il est à l'accusatif car c'est le complément de *gesehen habe*.

c) Fahri Ogün Yardim, mit **dem** Til Schweiger viel gedreht hat, ist ein deutsch-türkischer Schauspieler.

Le pronom ***dem*** est masculin singulier, comme son antécédent *Fahri Ogün Yardim* ; il est au datif car il est utilisé après la préposition *mit*.

Comme dans toute subordonnée, le verbe est en dernière position dans la proposition relative.

2. Les pronoms relatifs au nominatif, à l'accusatif et au datif ont la même forme que l'article défini correspondant, **sauf au datif pluriel.**

	masculin	neutre	féminin	pluriel
N	der	das	die	die
A	den	das	die	die
D	dem	dem	der	**denen**

❻ - ❼ S. 77

❽ Fais des phrases en suivant l'exemple donné.

Cenk ist ein Junge (6 Jahre alt sein).
> Cenk ist ein Junge, der 6 Jahre alt ist.

a. Ein Schauspieler ist ein Mann (verschiedene Rollen spielen können).
b. *The Voice of Germany* ist eine deutsche Musikshow (cool sein).
c. *Tatort* ist der TV-Krimi (viel Erfolg haben).
d. *Die Tagesschau* ist die Nachrichtensendung (um 20 Uhr kommen).
e. *Galileo* ist das Wissensmagazin (so spannend sein).

RAPPEL

Les adverbes d'intensité

Les mots invariables tels que *sehr, total, ganz* utilisés avant un adjectif permettent d'accentuer la caractéristique de la personne ou de l'objet dont il est question.

a) Jérôme Boateng ist **wirklich** ein **sehr** guter Spieler.
b) Sie ist **total** süß!

Les quantificateurs

Alle (« tous »), *beide* (« tous les deux »), *viele* (« de nombreux ») peuvent introduire des groupes nominaux au même titre que *die* ou *keine*.

c) **Beide** Kinder sind Fußballfans.
d) **Viele / Alle** Mädchen mögen Justin Bieber.

Les pronoms relatifs en allemand et en anglais.

Pour former le pronom relatif, l'allemand s'appuie sur l'article défini alors que l'anglais s'appuie sur le mot interrogatif.

Der Schauspieler, **den** ich am besten finde, ist ...
> The actor, **whom** I like best, is ...

Ja, also wisst ihr, ich bin ja toootaler Fan von Thomas Müller. Den finde ich sooo süß...
Ich sehe natürlich jedes Spiel im Fernsehen und habe auch schon 2 Poster von Müller...
Ach, übrigens... Ich feier am Samstag meinen Geburtstag. Um 8 bei mir, ja?
Alles Gute zum Geburtstag, Tilda.
Kommt rein!
Danke, super! Genau das, was ich mir gewünscht habe.
MÜLLER
13
Äh...
MÜLLER
13
MÜLLER
13
Ich glaube, wir hatten alle die gleiche Idee und wollten das passendste Geschenk für dich finden...
MÜLLER
Ja, du hast Recht. Das ist das ideale Geschenk! So kann ich jeden Tag ein sauberes Fantrikot anziehen!
MÜLLER
13
MÜLLER
13
MÜLLER
13

Spiel und Spaß

1 Vokabeltraining

Kettenspiel. Wer bekommt was geschenkt?

Beispiel:

Schüler 1: Ich schenke meiner besten Freundin eine Haarbürste.

Schüler 2: Ich schenke meiner besten Freundin eine Haarbürste und meinem besten Freund einen Kapuzenpulli.

Schüler 3: Ich schenke …

meine beste Freundin
mein bester Freund
mein Bruder
meine Schwester
meine Mutter
mein Vater
meine Oma
mein Opa
mein Lieblingslehrer

2 Vokabelmemo

1. Lies den Artikel zu diesem Star. Leider fehlt hier Text. Finde die Wörter aus Szene 1! S. 77

Kleider, die wir nicht vergessen können.

Wer hat nicht Heidi Klum bei der Oscar-Zeremonie in ihrem tollen Abendkleid gesehen? Hier ein Foto. Die Redaktion findet, sie sieht … aus. Ja, wir finden diese Frau echt … . Was gefällt uns am …? Natürlich ist Heidi … und …, sie hat einfach eine tolle Figur. Die … ist … und der feminine … von ihrem Kleid ist echt … . Dieses Ex-Modell hat immer noch … . Heidi, du bist zum … .

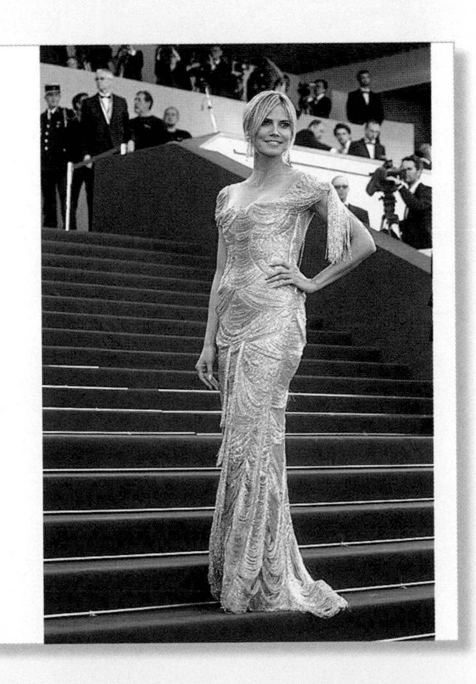

2. Wortsuche. Finde 10 Wörter aus Szene 2. S. 78

KULTUR PUR

Land Art – Kunst in und mit der Natur

Drei Sonnenblumen (1997)

1 Was ist Land Art? Lies den Text. S. 79

Land Art ist eine Kunstrichtung in der bildenden Kunst, die aus den USA kommt.
In der Land Art stehen die Natur und die Landschaft im Mittelpunkt. Neu ist, dass man sie nicht nur zeigt, sondern sie selbst das Kunstwerk sind.
Die Künstler der Land Art schaffen mit Materialen der Natur oder der Landschaft neue Kunstwerke.
Sie benutzen Steine, Sand, Wasser, Pflanzen, Bäume ...
Diese Kunstwerke kommen nicht in ein Museum, sondern bleiben in der Natur.

Land Art ist eine ephemere Kunst. Diese Skulpturen aus verschiedenen Steinen standen einen Tag in Norwegen. In der Nacht gab es einen Sturm[1] und am Morgen waren die Steine ins Meer gefallen.

1. Sturm: *tempête*

Meerwächter (1998)

2 Zwei Künstler der Land Art. Lies die Informationen. S. 79

Wolfgang Buntrock und Frank Nordiek bei der Arbeit an ihrem Projekt „Zyklische Inseln" mit der Palucca Schule Dresden auf der Ostseeinsel Hiddensee.

Wolfgang Buntrock (*1957) kommt aus Hamburg. Er hat in Hannover Gartenbau studiert und dann als Landschaftsarchitekt gearbeitet. Frank Nordiek ist 1964 in Leverkusen bei Köln geboren und hat dann in Bremen gelebt. Er hat in Hannover studiert und ist Erzieher[2]. Danach hat er noch Mineralogie studiert und promoviert[3]. 1996 hat er Wolfgang Buntrock kennen gelernt. Seit 2002 arbeiten die beiden zusammen als Land-Art-Künstler. Ihr Atelier ist in Hannover, aber sie arbeiten natürlich in der Natur. Sie machen auch Workshops für Kinder und Jugendliche.

2. Erzieher: *éducateur*
3. promoviert: *a fait une thèse*

www.landart.de/

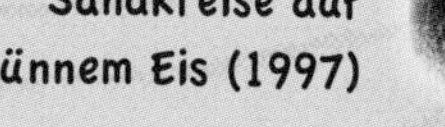

Sandkreise auf dünnem Eis (1997)

Fisch 2 (1997)

Vokabeln

- die Kunstrichtung (en): *le courant artistique*
- die bildende Kunst: *les arts plastiques*
- die Landschaft (en): *le paysage*
- das Kunstwerk (e): *l'œuvre d'art*
- der Künstler (-): *l'artiste*
- entstehen (entstand, entstanden)*: *naître (création)*
- im Mittelpunkt stehen (stand, gestanden): *se trouver au centre*
- schaffen (schuf, geschaffen): *crée*

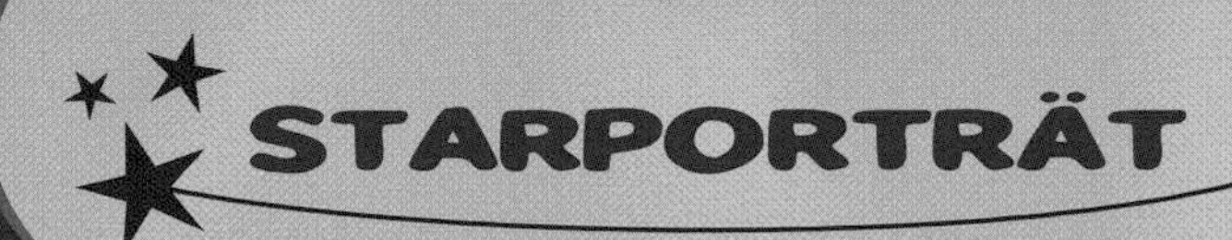

Josefine Preuß, *eine Schauspielerin*

Josefines Kindheit

Josefine ist am 13. Januar 1986 geboren und hat ihre Kindheit in Potsdam verbracht. Als Kind spielte sie in der Potsdamer Theatergruppe Taifun. Sie hatte auch einige Hauptrollen! Ab dem Jahr 1992, also mit nur 6 Jahren, spielte sie in diversen Fernsehserien mit.

Der Karriere-Durchbruch

2005 stand sie für die ARD-Fernsehserie *Türkisch für Anfänger* vor der Kamera. Diese Serie hatte einen großen Erfolg. Deshalb machte man dann auch noch im Frühjahr 2011 einen Kinofilm aus der Serie.
Heute wohnt Frau Preuß in Berlin. Neben Filmen macht sie auch Aufnahmen von Hörbüchern oder arbeitet als Synchronsprecherin.
2012 hat sie vier Filmpreise für ihre Rolle in *Türkisch für Anfänger* bekommen.

Josefine, das Multitalent

Josefine ist mit ihren 155 cm eine echt kleine Schauspielerin. Aber die rotblonde Berlinerin ist einfach ein Multitalent. Sie ist sehr sportlich, kann reiten, macht Akrobatik und rhythmische Sportgymnastik. Außerdem kann sie tanzen. Sie tanzt klassisches Ballett und modernen Tanz. Und das ist noch nicht alles! Josefine kann auch singen.

Vokabeln

- die Kindheit (en): *l'enfance*
- der Durchbruch (¨e): *la percée*
- die Schauspielschule (n): *l'école de théâtre*
- das Hörbuch (¨er): *le livre audio*

www.studlar.de/de/schauspielerinnen/josefine-preuss

Fülle das Starporträt aus.  S. 80

Compréhension écrite

S. 80

1 Mist, dieser Katalog ist total durcheinander! Was passt zusammen?

➔ Je suis capable de comprendre la description d'un objet.

A: Das Heimtrikot WM im Damenschnitt
Tolles Design – dieses Trikot der deutschen Nationalmannschaft ist ein Muss zur WM. Der silberfarbene Schriftzug „Die Nationalmannschaft" macht das Trikot einzigartig. Mit feminin tailliertem Schnitt und V-Ausschnitt für einen eleganten Fan-Look.

B: Der Heimtrikot-WM-Kit
Diese limitierte Edition enthält Trikot, Shorts und Socken der Spieler der deutschen Nationalmannschaft. Eine exklusive Edition nach dem Motto „Nur das Beste für den Athleten".

C: Die Plüschfigur Lieblingsspieler
Mit dieser Plüschfigur deines Lieblingsspielers holst du dir ein echtes Original nach Hause. Jeder Spieler trägt natürlich das neue offizielle Adidas-Trikot mit seiner Nummer.

D: Das Heimtrikot der Nationalmannschaft
Das raffinierte Design mit Adidas-Logo und Sternen-Patches zeigt die klassischen Elemente neu interpretiert. Der silberfarbene Schriftzug „Die Nationalmannschaft" darf nicht fehlen. Perfekt im Stadion oder im Wohnzimmer.

Expression orale en interaction

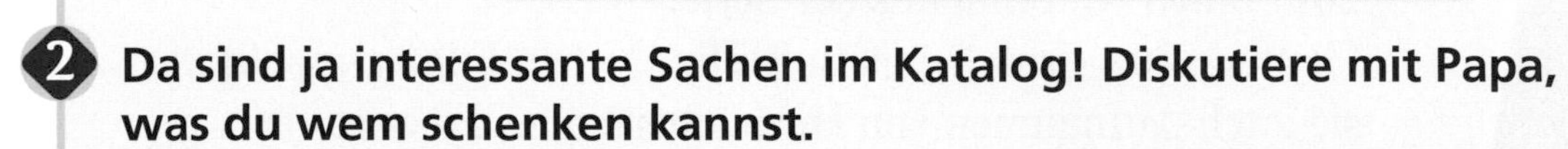

2 Da sind ja interessante Sachen im Katalog! Diskutiere mit Papa, was du wem schenken kannst.

➔ Je suis capable de décrire un objet et de dire à qui je veux l'offrir.

Compréhension orale

S. 81

3 Jonas und Alina waren im Kino. Welche Filme haben sie gesehen? Hör zu.

➔ Je suis capable de comprendre les informations sur un film.

Expression orale en continu

4 Du möchtest auch ins Kino. Erkläre deinen Eltern, welchen Film du sehen willst.

➔ Je suis capable de parler d'un film et de ses acteurs.

Expression écrite

5 Du warst mit Freunden im Kino. Du bist begeistert und schreibst einen Artikel für die Schülerzeitung.

➔ Je suis capable de rédiger un court article sur un film et ses acteurs.

Bald ist die Schule aus

BUCH 2
Kapitel 8

Tes objectifs

SZENE **1**
- **Tu sauras te renseigner sur un lieu touristique.**
- **Tu sauras demander ton chemin.**

SZENE **2**
- **Tu sauras enquêter sur les projets proposés dans ton école.**
- **Tu sauras interviewer des camarades sur leur projet.**

Ton projet

SZENE **1**
Tu vas rédiger un article sur une sortie scolaire. 

SZENE **2**
Tu vas faire le reportage de la semaine de projets pour la radio de l'école. 

KULTUR PUR

Der gute Vater Rhein

STARPORTRÄT

Mesut Özil
Ein Fußballspieler

Auf Klassenfahrt

1 **Lisa ist begeistert! Ihre Klasse plant eine Klassenfahrt. Was erzählt sie ihren Eltern? Hör zu.** 

 S. 82

2 Sprachmusik **Hör zu und wiederhole.** 

3 **Wann ist das Museum geöffnet und was kostet der Eintritt? Finde die Informationen im Prospekt.**

1. der Rentner: *le retraité*

4 **Und jetzt du … Übe mit einem Partner.** 

A: Kannst du mir bitte sagen, an welchen Tagen das Museum geöffnet ist?
B: Von Mai bis Oktober ist das Museum von Dienstag bis Samstag geöffnet.
A: Und von wann bis wann?
B: Es ist von 9 Uhr bis 17 Uhr geöffnet.
A: Weißt du, was der Eintrittspreis für Kinder kostet?
B: Warte mal, Kinder bezahlen drei Euro fünfzig.

5 Noas Klasse fährt nach Bremen. Lies die Informationen über die Stadt.

S. 82

Die Hansestadt Bremen

Bremen liegt im Norden von Deutschland. Bremen ist eine Hansestadt und ein Bundesland.
In Bremen gibt es das interaktive Museum Universum. Dort kann man viele Dinge über den Menschen und das Universum entdecken. Auf dem Rathausplatz kann man die berühmten Bremer Stadtmusikanten sehen. Und natürlich darf man einen Spaziergang durch die Altstadt nicht vergessen!
Bremerhaven ist ein großer Hafen. Bremerhaven war früher[1] das Tor nach Amerika. Man kann den alten Hafen, den Zoo am Meer, das Klimahaus und das Deutsche Schifffahrtsmuseum besichtigen.

1. früher: *autrefois*

Vokabeln

- die Kreuzung (en): *le croisement*
- geradeaus: *tout droit*
- nach rechts / links: *à droite / gauche*
- überqueren: *traverser*
- abbiegen* (o, o): *tourner*
- nach dem Weg fragen: *demander son chemin*
- anbieten (o, o): *proposer*

6 Wechselspiel

S. 83

Eine Schnitzeljagd[1] in Bremen! Wohin musst du gehen? Frage deinen Partner.

1. Schnitzeljagd: *jeu de piste*

Wortschatz aktiv

- Wir möchten Sie um Informationen bitten.
  Nous aimerions vous demander des renseignements.
- Können Sie uns Prospekte über die Stadt schicken?
  Pourriez-vous nous envoyer des prospectus de la ville ?
- Was kostet der Eintritt für Erwachsene?
  Combien coûte l'entrée pour des adultes ?
- Bei der Tourismusinformation können wir nach den Öffnungszeiten fragen.
  Nous pouvons demander les heures d'ouverture à l'office de tourisme.

le son „v" [f]

von – wie viel – interaktiv – vergessen

Auf Klassenfahrt!

Schreibe für die Schülerzeitung einen Artikel über eure Klassenfahrt.

1 Schade! Die Klassenfahrt ist vorbei. Was will eure Lehrerin? Hör zu.

S. 83

2 Na dann los. Schaut euch erst noch mal das Programm und die Karte an. A

3 Und jetzt geht es weiter mit den Prospekten. Lest sie. B C D

S. 84

4 Was möchtest du in deinem Artikel schreiben? Sag es deinen Partnern und diskutiert zusammen.

Du*: Ich denke, wir fangen am besten mit … an.*
Schüler 1*: Mir hat … besonders gut gefallen. Und euch?*
Schüler 2*: Mir auch, aber wir können auch über … schreiben.*

Deine Aufgabe:

5 An die Arbeit! Schreibt jetzt euren Artikel.

Unsere Klassenfahrt
Mit unserer Klasse haben wir eine Klassenfahrt an den Bodensee gemacht. Unser Programm …

1. Tag
- Abfahrt um 7:30 Uhr mit dem Bus.
- Ankunft in der Jugendherberge Graf-Zeppelin in Friedrichshafen
- Zeppelin-Museum.

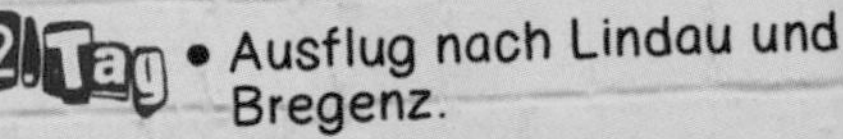

2. Tag
- Ausflug nach Lindau und Bregenz.
- Fahrt auf den Pfänder.

3. Tag
- Schifffahrt auf dem Bodensee.
- Pfahlbauten Unteruhldingen Konstanz.

Jugendherberge Graf-Zeppelin: info@jugendherberge-friedrichshafen

A

Vokabeln

- die Schülerzeitung (en): *le journal de l'école*
- der Bericht (e): *le compte rendu*
- veröffentlichen: *publier*
- über etwas schreiben: *écrire sur qc*
- von zwei Sachen erzählen: *raconter deux choses*

Wortschatz aktiv

- Die Stimmung in der Jugendherberge war klasse! *L'ambiance à l'auberge de jeunesse était géniale !*
- Ich war von der Fahrt auf dem See total begeistert. *Le tour sur le lac m'a enchanté(e).*
- Die Aussicht auf den See war besonders schön. *La vue sur le lac était particulièrement belle.*
- Ich möchte lieber ein anderes Thema nehmen. *Je préférerais prendre un autre sujet.*
- Das klingt gut! *Cela me paraît bien !*

B

Unsere Zeppelin-Sammlung[1] zeigt die Geschichte und Technik der Zeppeline. Kommen Sie mit uns in die Zeit der „Giganten der Lüfte"!

Das Zeppelin-Museum

Unsere Hauptattraktion:
die 33 Meter lange Rekonstruktion des Zeppelins LZ 129 Hindenburg. Besichtigen Sie das Innere[2] und erleben Sie das Leben an Bord eines Zeppelins.

Für unsere Gäste aus dem Ausland bieten wir auch Führungen in Französisch, Englisch, Italienisch und Spanisch an.
Unsere Öffnungszeiten können Sie unter folgender Telefonnummer abrufen: +49 (0)7541/3801-0.

. Sammlung: *collection*
. das Innere: *l'intérieur*

Die Pfänderbahn

Eine Fahrt mit der Pfänderbahn ist ein perfekter Anfang, um das Schwäbische Meer (so nennt man den Bodensee auch noch) zu entdecken.

Die Pfänderbahn fährt täglich von 8:00 bis 19:00 Uhr.
Durch die großen Fenster haben auch Kinder eine wunderschöne Aussicht über das Dreiländereck Schweiz - Österreich - Deutschland.

Oben angekommen können Sie den Alpenwildpark entdecken, die Greifvogel[3]-Flugschau besuchen, wandern, Rad fahren oder einfach nur auf der Terrasse des Restaurants die schöne Aussicht auf den Bodensee genießen.

3. Greifvogel: *rapace*

Die Pfahlbauten in Unteruhldingen

Dieses Pfahlbauten Dorf ist eines der größten archäologischen Freilichtmuseen[4] in Europa.

Auf einem Rundgang entdeckst du 23 rekonstruierte Häuser aus der Stein- und Bronzezeit[5].
Du siehst wie die Menschen in der Steinzeit gelebt haben.

Im Archeorama erlebst du die faszinierende Welt der Pfahlbauten unter Wasser!

. Freilichtmuseum: *musée en plein air*
. Stein- und Bronzezeit: *l'âge de pierre et de bronze*

Unsere Projektwoche

1 Aber hallo! Hier muss Ordnung rein!
Welche Fotos passen zu welchem Titel und Projekt?

1

2

3

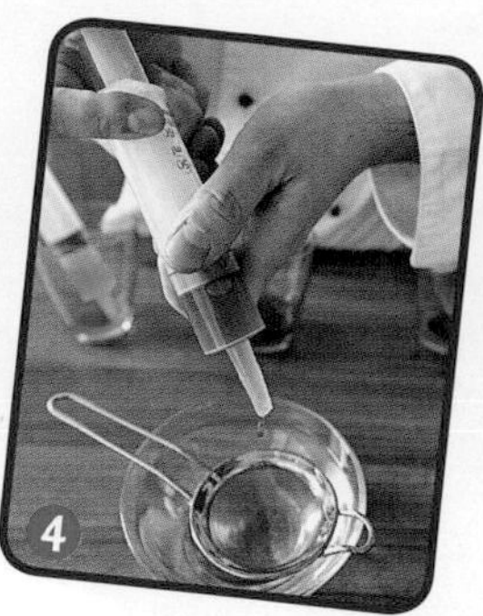
4

5

Ⓐ Wir sind Hundefreunde
An unserem Projekt haben 15 Schüler teilgenommen. In unserem Programm waren interessante Punkte rund um den besten Freund des Menschen: Erste-Hilfe-Kurs speziell für Hunde, Parcours für Longiertraining und Agility, Anatomie und Pflege.

Ⓑ Molekulare Küche
23 Schüler haben sich für dieses Projekt eingeschrieben und hatten viel Spaß, neue Rezepte auszuprobieren. Zum Schluss haben wir ein Kochbuch mit schönen Fotos gemacht.

Ⓒ Fotostory
Frau Leika, unsere Deutschlehrerin, hat das Projekt geleitet und die 18 Schüler betreut. Zuerst mussten wir ein Storyboard schreiben, dann haben wir fotografiert. Und zum Schluss haben wir die Texte mit dem Computer in die Bilder eingefügt.

Ⓓ Faltkunst
Das Faltkunst-Atelier hat uns gezeigt, wie wir japanische Origami falten. Wir haben spektakuläre Objekte gebastelt und auch Konzentration und Geduld gelernt.

Ⓔ Schulgarten
Das Projekt hat Herr Krautkopf, der Biologielehrer, geleitet. Hier haben sich Naturfreunde getroffen, die für eine grüne Schule sind. Im Frühling können wir dann das Resultat sehen. Die Schüler haben nämlich 150 Blumen gepflanzt.

2 Hör dir das Interview der Projektteilnehmer an.   S. 86

3 Und jetzt du … Übe mit einem Partner.   

A: An welchem Projekt hast du teilgenommen?
B: Ich habe am Projekt Schulgarten teilgenommen.
A: Warum hast du das Projekt gewählt?
B: Weil ich ein Naturfreund bin.
A: Hat es Spaß gemacht?
B: Ja, ich fand es super.

Fußball – Chor – Fitness
interaktive Mathematik
neue Schulband
Schulradio
Schülerzeitung

Sportfreund
Fußballfan
Mathefan
Künstler
guter Sänger / gute Sängerin
Musik / Sport mögen

❹ Sprachmusik Hör zu und wiederhole.

❺ **Mist. Im Interview mit der Projektwochen-Band fehlen ein paar Antworten. Ergänze sie.**

S. 86

Auch Musik darf während der Projektwoche nicht fehlen. Julius leitet die Band und hat uns ein paar Fragen beantwortet.

– Wer spielt alles in eurer Band mit?
„Miriam aus der 9B, Timo aus der 8D, ..., ..., ... und noch viele mehr. Ich kann nicht alle aufzählen."

– Welche Instrumente gibt es in der Band?
„Natürlich haben wir ein Schlagzeug, aber auch zwei ..., ..., ... und sogar ein Saxophon!"

– Habt ihr auch Sänger?
„..."

– Ist es schwer, mit so vielen Schülern ein Lied zu üben?
„Nein, denn alle Bandmitglieder sind ... Musiker und ... motiviert."

– An welchem Lied arbeitet ihr heute?
„Heute üben wir ... von ... . Das ist ein toller Song!"

– Wann ist das Konzert?
„Am ... geben wir ein Konzert um ... . Wir hoffen, dass viele Fans kommen werden."

Vokabeln

- die Projektwoche (n): *la semaine de projets*
- der Teilnehmer (-): *le participant*
- Objekte basteln: *construire des objets*
- ein Projekt leiten: *diriger un projet*
- Schüler betreuen: *encadrer des élèves*
- Fragen beantworten: *répondre à des questions*

Wortschatz aktiv

- Danke, dass ich euch interviewen darf. *Merci de m'accorder cette interview.*
- An welchem Projekt habt ihr teilgenommen? *À quel projet avez-vous participé ?*
- Warum hast du dieses Projekt gewählt? *Pourquoi as-tu choisi ce projet ?*
- Vielen Dank für das Interview. *Merci beaucoup pour cette interview.*

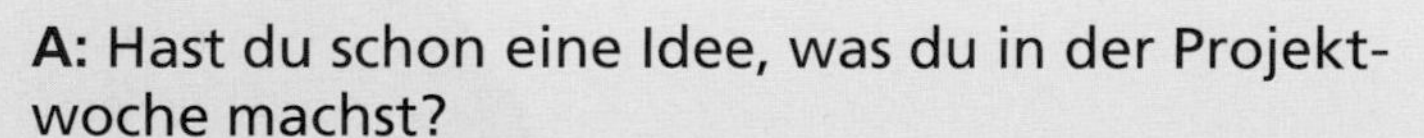

❻ **Und jetzt du … Übe mit einem Partner.**

A: Hast du schon eine Idee, was du in der Projektwoche machst?
B: Ja, ich möchte ein Projekt Improvisationstheater anbieten.
A: Ach ja? Was ist eigentlich Improvisationstheater?
B: Wir spielen Theater, aber wir haben keinen Text.
A: Das hört sich interessant an.

Sprich nach

le son „u" [u:]
Schule – Natur
Blume – gut

Unsere Projektwoche

Du machst eine Reportage über eure Projektwoche für das Schulradio.

1 **Der Klassenlehrer gibt die Informationen zur Projektwoche. Hör zu.**

2 43 S. 87

2 **Gut, dann studiere erst mal die Projektangebote der Lehrer.** A

S. 88

3 **Hm … Welches Projekt interessiert dich? Diskutiere mit deinem Nachbarn.**

Du: *Hast du schon eine Idee, was du in der Projektwoche machst?*
Dein Nachbar: *Ich überlege noch, und du?*
Du: *…*

4 **Deine Freundin hat eine Idee. Hör zu.**

2 44 S. 89

5 **Entscheide dich. Willst du beim Schulradio mitmachen oder ein Projekt vorschlagen?**

Du: *Was, du möchtest also unbedingt ein Reporter sein?*
Deine Freundin: *Ja, ich finde es super, Leute zu interviewen. Interessiert dich das?*
Du: *…*

Deine Aufgabe:

6 **Die Projektwoche läuft. Mach jetzt deine Reportage für das Schulradio.**

a. Bereite deine Fragen vor.

b. Interviewe jetzt ein paar Klassenkameraden.

c. Nimm deine Einleitung auf und schneide deine Reportage.

A

Liebe Schüler,

Hier unser Lehrerangebot für die Projektwoche. Ihr findet hier insgesamt 15 Programmpunkte und wir erwarten noch 15 Programmpunkte von euch Schülern bis Ende dieser Woche. Anschließend veröffentlichen wir das offizielle Programm für unsere diesjährige Projektwoche.

1. Atelier Kreativ: mit der Kunstlehrerin und der Handarbeitslehrerin. Hier lernt ihr Schmuck und Accessoires selbst zu machen, z.B. Halstücher, Gürtel, Ohrringe ...
2. Gitarre für Anfänger: mit Herrn Cro, Musiklehrer. Für maximal 10 Schüler.
3. Improvisationstheater: Theater ohne festen Text. Mit Herrn Schiller, Deutschlehrer.
4. Interaktive Englischübungen: am Computer lernen, um sein Englisch zu verbessern.

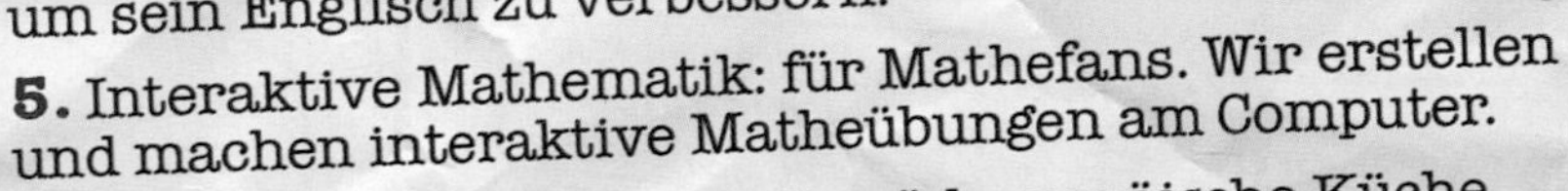

5. Interaktive Mathematik: für Mathefans. Wir erstellen und machen interaktive Matheübungen am Computer.
6. Internationales Kochen: die südeuropäische Küche kennen lernen. Wir kochen jeden Tag ein Menü. Wir machen unser eigenes Kochbuch.
7. Kunst und Technik: aus Alltagsobjekten spektakuläre und originelle Kunstwerke basteln.
8. Musical: mit Frau Bach, Musiklehrerin, und einem echten Tanzlehrer. Es ist sehr anstrengend! Die Gruppe trainiert zwei bis drei Stunden pro Tag. Man muss tanzen und singen.

9. Robin Hood – englisches Theater: Wir studieren ein Theaterstück auf Englisch ein und zeigen es am Sommerfest.
10. Schulgarten: den Schulhof schöner und grüner machen.
11. Schulradio: Wollt ihr Reporter sein? Wir machen eine Radioreportage über die Projektwoche.
12. Sommerfest-Team: Vorbereitung und Organisation des Sommerfests.
13. Spanisch-Kurs: Crashkurs Spanisch für Anfänger. Man lernt die Grundlagen: begrüßen, sich vorstellen, im Restaurant bestellen ...
14. Webredaktion: eine neue Schulhomepage erstellen.
15. Zirkus: Wir lernen jonglieren und Clown-Nummern. Am Sommerfest machen wir eine Aufführung.

Vokabeln

- zu zweit: *à deux*
- zu dritt: *à trois*
- entscheiden (ie, ie): *décider*
- erstellen: *créer, établir*
- anstrengend: *fatigant*
- die Aufführung (en): *la représentation*

Wortschatz aktiv

- Hallo liebe Hörer. *Bonjour, chers auditeurs.*
- Herzlich willkommen bei unserer Radiosendung zur Projektwoche.
  Bienvenue à notre émission sur la semaine de projets.
- Wir hören zuerst eine Reportage über das Projekt …
  Nous allons d'abord entendre un reportage sur l'atelier…
- Und anschließend ein Interview der Teilnehmer am … Projekt.
  Puis suivra une interview des participants au projet…

Comic

Also erst mal herzlich Willkommen in unserer Schulgarten-Gruppe.
Also, ich verteile zunächst einmal die Aufgaben.
Gruppe 1: Blätter harken und Hecken schneiden. Gruppe 2: Beete umgraben und neu bepflanzen. Wir haben 6 Beete.
Herr Schumacher, kann ich bitte weiße und rote Tulpen haben? Vor allem ganz viele weiße.
Ja, nimm dir, was du brauchst.
Rote Tulpen
Weiße Tulpen
Rote Tulpen
Tolle Arbeit von euch allen. Jetzt heißt es warten. Im Frühling können wir dann die schönen Blumen sehen.
6 Monate später.
Herr Schumacher, darf ich Sie mal etwas fragen?
Ja, aber sicher Herr Direktor.
Nun, was sagen Sie dazu?

SPIEL UND SPAß

1 Vokabeltraining

Packe deinen Koffer für die Klassenfahrt. Was nimmst du mit?

Beispiel: **Schüler 1:** Ich packe zwei Pullis in meinen Koffer.
Schüler 2: Ich packe zwei Pullis und drei T-Shirts in meinen Koffer.
Schüler 3: …

2 Vokabelmemo S. 89

1. Lies diesen Artikel zur Klassenfahrt und ergänze die Wörter aus Szene 1.

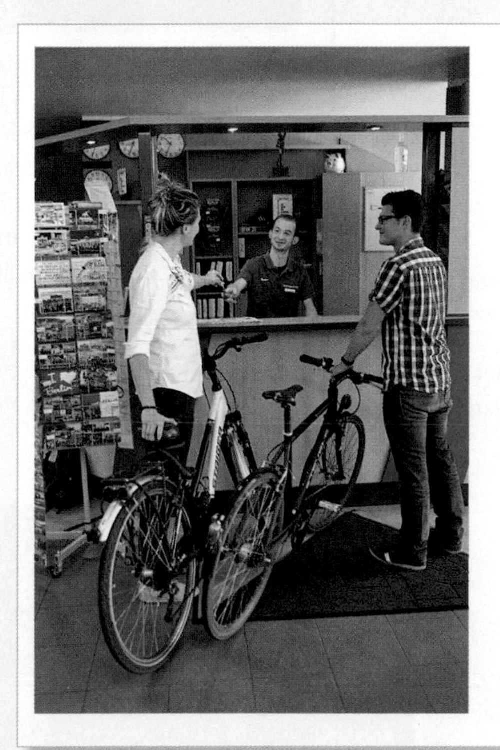

Liebe Leser !

Unsere K§®¥¥☺☠f®h✌☒ nach Berlin war ein totaler Erfolg. Am ersten Tag waren wir in der ☒ou✌i¥mu¥i☠fo✌m®☒io☠ und haben um Informationen und P✌o¥p☺k☒☺ g☺b☺☒☺☠. Wir wollten ins deutsche historische Museum gehen und haben deshalb nach den Öff☠u☠g¥z☺i☒☺☠ gefragt. Zum Glück war der ☺i☠☒✌i☒☒ für ☺✌w®ch¥☺☠☺ und Jugendliche nicht so teuer. Das Programm war fantastisch und auch die ¥☒immu☠g in der Jug☺☠dh☺✌b☺✌g☺ war klasse. Wir waren von der F®h✌☒ auf der Spree total b☺g☺i¥☒☺✌☒ und die ®u¥¥ich☒ vom Reichstag auf den Tierpark war besonders schön. Jetzt hat die ganze Klasse viele B☺✌ich☒☺ für die ¥chü§☺✌z☺i☒u☠g v☺✌öff☺☠☒§ich☒. Viel Spaß beim Lesen!

2. Wortsalat. Finde die Wörter aus Szene 2 und den geheimen Satz. 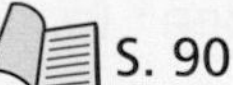 S. 90

KULTUR PUR Der gute Vater Rhein

Der Rhein ist der größte Fluss in Deutschland. Seine Quelle liegt in den Schweizer Alpen. Er mündet in den Niederlanden in die Nordsee.
Der Rhein fließt durch sechs europäische Länder. Er ist 1230 km lang, davon liegen 865 km in Deutschland. Er ist eine wichtige Wasserstraße in Europa.

1 Der Rhein. Lies den Text. S. 91

2 Entdecke wichtige Stationen von der Quelle bis zur Mündung. S. 91

An der Grenze zu den Niederlanden beginnt das große Rhein-Delta.

Der Rhein fließt durch große Städte wie Köln und Düsseldorf und das Ruhrgebiet. In Duisburg gibt es den größten Binnenhafen[1] von Europa.

1. Binnenhafen: *port intérieur*

Am Deutschen Eck in Koblenz mündet die Mosel in den Rhein. Hier steht auch ein Denkmal als Erinnerung an den Kaiser Wilhelm I.

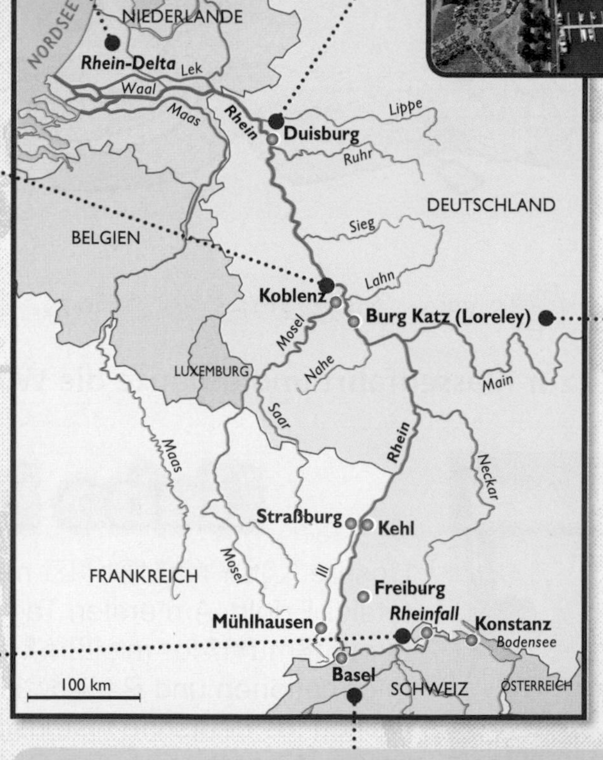

Seit 2002 gehören das romantische Loreleytal und seine vielen Burgen und Schlösser zum UNESCO-Weltkulturerbe. Hier entstand auch die berühmte Legende der Loreley. Der berühmte Dichter Heinrich Heine hat über sie ein Gedicht geschrieben.

Bei Schaffhausen liegt der Rheinfall. Er ist 23 Meter hoch. Es ist der größte Wasserfall in Europa.

Ab dem Rheinknie in Basel fließt der Rhein nicht mehr von Ost nach West sondern in Richtung Norden entlang der deutsch-französischen Grenze.

Vokabeln

- der Fluss (¨e): *le fleuve*
- die Quelle (n): *la source*
- die Mündung (en): *l'embouchure*
- das Tal (¨er): *la vallée*
- das Schloss (¨er): *le château*
- fließen* (o, o): *couler*

Weltwunder Rheintal: die Loreley

Schau dir den Filmausschnitt an und entdecke das Rheintal von oben.

www.weltwunder-rheintal.de

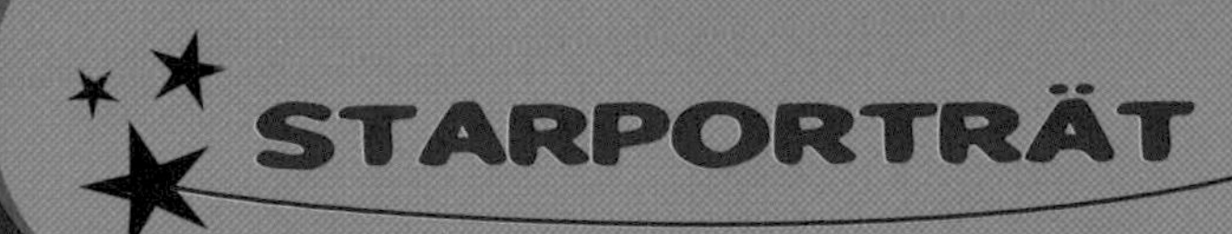

Mesut Özil

Ein Fußballspieler

„Spiel dein Leben, ich spiel meins."

Mesut Özil als Sportler

Mesut ist am 15. Oktober 1988 in Gelsenkirchen geboren. Er ist Linksfüßer, 1 m 81 groß und wiegt 70 kg. Er spielt im Mittelfeld und seine Trikotnummer in der Nationalmannschaft ist die 8.
Seit Özil mit dem Verein **Schalke 04** gespielt hat, ist er bekannt. Später hat er bei **Werder Bremen** und dann im Ausland, beim **Real Madrid**, gespielt. Seit Anfang 2009 spielt er für die **deutsche Nationalmannschaft**. Seit September 2013 ist er bei **Arsenal** in London unter Vertrag. Außer Fußball spielen, schwimmt Özil gerne in der Freizeit. Sein Vorbild ist der französische Fußballspieler Zinédine Zidane.
Seine wichtigsten Erfolge im Team:
– Deutscher Pokalsieger mit **Werder Bremen**;
– FIFA World Cup 2010: dritter Platz;
– spanischer Pokalsieger 2011 und spanischer Meister 2012 mit dem **Real Madrid**.
Seine wichtigsten persönlichen Erfolge: Nationalspieler des Jahres 2011 und 2012.

Özils Wurzeln und nationale Identität

Seine Großeltern sind mit Mesuts Vater aus der Türkei nach Gelsenkirchen in Deutschland immigriert. Mesuts Vater hat die deutsche Staatsangehörigkeit. Mit 18 Jahren hat Mesut sich für die deutsche Staatsangehörigkeit entschieden, weil es nicht möglich ist, die doppelte deutsch-türkische Staatsangehörigkeit zu haben. In Interviews muss Özil oft die Frage nach dem Warum für diese Entscheidung beantworten. Das hat er 2012 zu dem Thema gesagt:
„Ich habe in meinem Leben mehr Zeit in Spanien als in der Türkei verbracht – bin ich dann ein deutsch-türkischer Spanier oder ein spanischer Deutsch-Türke? Warum denken wir immer so in Grenzen? Ich will als Fußballer gemessen werden – und Fußball ist international, das hat nichts mit den Wurzeln der Familie zu tun."

Vokabeln

- der Linksfüßer (-): *celui qui tire du pied gauche*
- das Mittelfeld: *le centre du terrain*
- der Sieger (-): *le vainqueur*
- das Vorbild (er): *le modèle*
- die Wurzel (n): *la racine*
- die Staatsangehörigkeit (en): *la nationalité*
- unter Vertrag sein*: *être sous contrat*

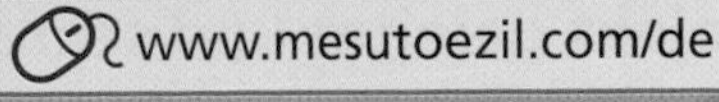

Fülle das Starporträt aus. 
S. 92

Compréhension écrite

S. 93

Du bekommst eine E-Mail von einem Freund. Lies sie.

→ Je suis capable de comprendre un message où l'on sollicite mon aide et mes conseils sur la préparation d'un voyage de classe.

Hi!
Wir werden im Oktober eine Klassenfahrt machen und müssen jetzt schon alles planen. Ich weiß ja, dass du mit deiner Klasse in Dortmund warst. Kannst du mir Tipps geben und helfen? Hast du Ideen, wo ich Informationen und Prospekte bekomme? Wo können wir schlafen? Wir möchten ein komplettes Programm mit Kultur, Sport und guter Stimmung. Wir sollen auch eine Videoreportage mit Interviews für die Homepage der Schule machen. Das wird toll! Bitte schreib mir schnell!
LG
Mesut

Expression orale en interaction

Rufe Mesut zurück und erzähle von deiner Klassenfahrt.

→ Je suis capable d'échanger avec quelqu'un sur mon voyage de classe.

Expression orale en continu

Mesut will alles über deine Klassenfahrt wissen. Gib einen detaillierten Bericht.

→ Je suis capable de raconter en détail mon voyage de classe.

Compréhension orale

S. 93

Hör dir die Reportage im Schulradio an.

→ Je suis capable de comprendre un reportage sur un projet au collège.

Expression écrite

Du hast ein Projekt geleitet und schreibst jetzt einen interessanten Artikel für die Schülerzeitung.

→ Je suis capable de rédiger un article sur un projet que j'ai dirigé.

Es war einmal ...

1 **Kennst du diese Märchen? Lies die Texte.**

Hänsel und Gretel

In alten Zeiten lebten zwei Kinder: Hänsel und Gretel. Ihre Eltern waren arm. Deshalb brachten sie ihre Kinder in den Wald und ließen sie alleine. Die Kinder fanden ein Häuschen aus Lebkuchen. Sie hatten Hunger und aßen von den Lebkuchen. Da hörten sie eine Stimme: „Knusper, Knupser, Knäuschen, wer knuspert an meinem Häuschen?“ In dem Haus wohnte eine böse Hexe. Sie wollte Hänsel in einem Ofen backen, doch Gretel konnte die Hexe in den Ofen schieben und ihren Bruder retten! Die Kinder fanden den Weg nach Hause und ihre Eltern waren sehr froh, dass ihre Kinder wieder da waren und sie lebten glücklich bis an ihr Lebensende.

Schneewittchen und die sieben Zwerge

Vor langer Zeit lebte eine wunderschöne Prinzessin: Schneewittchen. Ihre böse Stiefmutter wollte aber die Schönste sein. Deshalb jagte sie Schneewittchen in den Wald. Schneewittchen lebte aber glücklich bei den sieben Zwergen. Die böse Stiefmutter fragte ihren Zauberspiegel: „Spieglein, Spieglein an der Wand. Wer ist die Schönste im ganzen Land?“ Der Spiegel antwortete: „Frau Königin, Ihr seid die Schönste. Aber Schneewittchen, bei den sieben Zwergen, hinter den sieben Bergen, ist tausendmal schöner als Ihr!“ Da brachte die böse Königin Schneewittchen einen vergifteten Apfel. Schneewittchen aß den Apfel und starb. Die Zwerge legten Schneewittchen in einen Sarg[1] aus Glas. Ein Prinz sah Schneewittchen, fand sie wunderschön und wollte sie mit zu sich auf sein Schloss nehmen. Doch der Sarg fiel zu Boden und der vergiftete Apfel fiel aus Schneewittchens Mund. Und da geschah ein Wunder! Schneewittchen war wieder lebendig! Sie heiratete den Prinzen und wenn sie nicht gestorben sind, dann leben sie noch heute.

1. Sarg: *cercueil*

Es war einmal ...

Rotkäppchen

Es war einmal ein kleines Mädchen, das Rotkäppchen hieß. Es wollte seine Großmutter im Wald besuchen. Aber auf dem Weg zur Großmutter traf es einen bösen Wolf. Der Wolf hatte eine Idee! Er lief schnell zum Haus der Großmutter und fraß sie auf. Dann zog er ihre Kleider an und legte sich in ihr Bett.
Das Rotkäppchen kam bei der Großmutter an und war überrascht.

Es fragte: „Aber Großmutter, warum hast du so große Augen?"
Der Wolf antwortete: „Damit ich dich besser sehen kann!"
„Und warum hast du so große Ohren?"
„Damit ich dich besser hören kann!"

„Und Großmutter, warum hast du so einen großen Mund?"
„Damit ich dich besser fressen kann!" antwortete der Wolf und sprang aus dem Bett und fraß auch das Rotkäppchen auf.

❷ Die Brüder Grimm

Wer hat eigentlich alle diese Märchen geschrieben? Die Brüder **Jacob** (1785-1863) und **Wilhelm** (1786-1859) Grimm?
Ja und nein!
Bis zu dieser Zeit gab es keine Märchenbücher. Die Menschen konnten die Märchen also nicht vorlesen, sondern erzählten sie sich mündlich.

Die Brüder Grimm haben die Märchen in ihren *Kinder- und Hausmärchen* nicht selber erfunden[1], sondern nur gesammelt[2] und aufgeschrieben.
Jacob und Wilhelm sind auch für die deutsche Sprache wichtig. Sie waren Professoren an der Universität in Göttingen und deutsche Sprachwissenschaftler. Sie haben die erste *Deutsche Grammatik* und das erste *Deutsche Wörterbuch* geschrieben.

1. erfinden: *inventer*
2. sammeln: *recueillir*

Vokabeln

- das Märchen (-): *le conte de fée*
- der Wolf (¨e): *le loup*
- der Wald (¨er): *la forêt*
- die Hexe (n): *la sorcière*
- die Stiefmutter (¨): *la belle-mère*
- der Zwerg (e): *le nain*
- auffressen (frisst, fraß, gefressen): *manger (animal)*
- vergiften: *empoisonner*
- böse: *méchant*

3 ***Der Froschkönig*. Lies den Comic und schreibe dann das Märchen.**

Literaturatelier – Tierisch gut!

Heute gibt es im Literaturatelier viele Gedichte über Tiere. Lies die Gedichte. Lerne dann dein Lieblingsgedicht auswendig und trage es in der Klasse vor.

1 DIE AMEISEN

In Hamburg lebten zwei Ameisen,
Die wollten nach Australien reisen.
Bei Altona auf der Chaussee,
Da taten ihnen die Beine weh[1],
Und da verzichteten[2] sie weise
Dann auf den letzten Teil der Reise.

Joachim Ringelnatz (1883-1934)

1. wehtun: *faire mal*
2. verzichten: *renoncer*

2 KAKADU UND PAPAGEI

Herr Kakadu Herr Papagei
die stritten sich[3] um ***U*** und ***EI***
[...]
du Papagu!
du Kakadei!
du Geipaka!
du Dupaga!
du Geipudu!
du Dukapa!
du Dupagei!
du Pakadu!
du Geipaka!
du Dupadu!
du Pakapa!
du Geidudu!
[...]
das ***U*** das beulte sich[4] zum ***O***
das ***EI*** war platter als ein ***AU***
in Zukunft[5] stritt Herr Kakad***O***
sich nie mehr mit Herrn Papag***AU***

Jan Koneffke (*1960)

3. sich streiten: *se disputer*
4. sich beulen: *se déformer*
5. die Zukunft: *le futur*

Vokabeln

- das Gedicht (e): *le poème*
- der Dichter (-): *le poète*
- vortragen (ä, u, a): *réciter*
- etwas auswendig lernen: *apprendre qc par coeur*

3

EIN BOXERHUND AUS HOLZMINDEN

Ein Boxerhund aus Holzminden,
der konnte am Boxen nichts finden.
Eins hat ihn ein Floh
besiegt durch ein K.O.;
das konnte er niemals verwinden[6].

Paul Maar (*1937)

6. verwinden: *surmonter*

4

DAS ZEBRA

Eins wird das Zebra nie begreifen[7]:
Wie kommt man übern Zebrastreifen?
Es bleibt am Straßenrande stehn
& ist dort stundenlang zu sehn –
bis sein Anblick jemand rührt[8]
der's dann übern Fahrdamm[9] führt.

Yaak Karsunke (*1934)

7. begreifen: *comprendre*
8. rühren: *toucher*
9. der Fahrdamm: *la chaussée*

5

ALLERLEI TIERE

Die Ka-
hat Haa-,
der Vo-
hat Fe-,
der Fi-
hat Flo-.
Das weißt du sowieso.

Der Wu-
ist gla-,
der I-
hat Sta-,
das Po-
hat einen Pe-,
damit's nicht friert im Schnee.

Und jetzt fällt mir noch ei-:
Streifen[10], schwarz und wei-,
hat im Zoo das Ze-.
Sonst weiß ich nichts me-.

Josef Guggenmos (1922-2003)

10. der Streifen: *la rayure*

6

KLEINE KATZEN

Kleine Katzen sind so drollig
und so wollig und so mollig[11],
dass man sie am liebsten küsst.
Aber auch die kleinen Katzen
haben Tatzen[12], welche kratzen.
Also Vorsicht! Dass ihr 's wisst!
[…]

James Krüss (1926-1997)

11. mollig: *(ici :) douillet*
12. die Tatze: *la patte*

Précis grammatical

I. Le groupe nominal

1. Les genres

L'allemand possède trois genres. Il existe des noms **masculins** (*der Ball*), **neutres** (*das Buch*) et **féminins** (*die Schule*). Le genre des mots allemands est souvent différent de celui des mots français (*der Löffel*: la cuillère ; *die Wolke*: le nuage). Il faut donc l'apprendre par cœur.

À noter : Les noms désignant des personnes ont presque tous un genre correspondant au sexe de ces personnes.

der Vater – der Lehrer – der Mann   die Mutter – die Freundin – die Frau

En revanche, *Baby*, *Kind* ou *Mädchen* sont neutres.

Ces trois genres ne se distinguent plus au **pluriel**. Il n'y a alors qu'une seule forme ***die*** :

die Bücher, die Gabeln.

2. Les noms composés

Les noms composés sont formés à l'aide de deux éléments que l'on assemble de façon à n'avoir qu'un seul nom.

Musik + Instrument → Musikinstrument.

C'est le **dernier élément** qui donne son sens au mot, celui qui est placé devant lui apporte une précision supplémentaire. Dans le cas de *Musikinstrument*, il s'agit d'un instrument (*Instrument*) avec lequel on fait de la musique (*Musik*).

Les noms composés **ont le genre et le pluriel du dernier élément**.

die Musik + **das** Instrument(e) → **das** Musikinstrument, die Musikinstrumente.
das Rad + **der** Club **(s)** > **der** Radclub, die Radclub**s**.

3. Les déterminants

(Cf. les tableaux de déclinaisons, pages 126 et 127)

a. Les articles **définis** *der, das, die* (féminin) et *die* (pluriel)

Ils désignent une personne ou un objet **déjà connus** ou clairement **identifiés**.

Der Mathelehrer ist heute krank. *(Le professeur de mathématiques est malade aujourd'hui.)*

b. Les articles **indéfinis** *ein, ein* et *eine*

Ils désignent une personne ou un objet **non identifiés**, ou que l'on **ne connaît pas**.

Ein Kind spielt im Park. *(Un enfant joue dans le parc.)*

Comme en anglais, il n'existe pas de déterminant indéfini pluriel (comme « des » en français).
Florian isst **Ø** Bonbons. *(Florian mange des bonbons.)*
He is eating candy.

c. La négation *kein*

Elle sert à nier un **groupe indéfini** ou **indénombrable**. Elle prend les mêmes terminaisons que l'article indéfini *ein* (cf. p. 126).

Ich habe **keine** Spielkonsole. *(Je n'ai pas de console.)*
Ich habe **keine** Lust. *(Je n'ai pas envie.)*
Ich habe **keinØ** Geld. *(Je n'ai pas d'argent.)*

d. Les démonstratifs *dieser, dieses, diese* (féminin) et *diese* (pluriel)

Ils désignent une personne ou un objet qu'on a **déjà évoqués** ou qu'on **montre**.

Diese Schuhe sind schön. *(Ces chaussures sont belles.)*

e. Les possessifs (*mein, dein ...*)

Ils varient en fonction du possesseur. Ils portent une marque indiquant le genre, le nombre et le cas du nom qui suit.
La déclinaison des possessifs suit le modèle de l'article indéfini ***ein*** (cf. p. 126).

possesseur	possessif
ich	mein
du	dein
er, es sie	sein ihr
wir	unser
ihr	euer
sie	ihr
Sie	Ihr

Comme en anglais, le possessif de la troisième personne du singulier dépend du genre du possesseur.

Paul hat **sein** Buch vergessen. *(Paul a oublié son livre.)*
Tina hat **ihr** Buch vergessen. *(Tina a oublié son livre.)*
Paul forgot **his** book.
Tina forgot **her** book.

f. Les interrogatifs *welcher, welches, welche* (féminin) et *welche* (pluriel) qui signifient quel/s ; quelle/s

Ils prennent les mêmes terminaisons que l'article indéfini ***ein*** (cf. p. 126).

Welche Aktivität wählst du denn? *(Quelle activité choisis-tu donc ?)*
Welchen Lehrer willst du fragen? *(Quel professeur veux-tu interroger ?)*

4. La déclinaison du groupe nominal

Le groupe nominal est constitué **autour d'un nom** et comporte le plus souvent plusieurs éléments, dont un déterminant (par exemple : article défini ou indéfini). Il peut toujours être remplacé par un **pronom** (cf. n° 6 p. 128).

Le groupe nominal porte sur le déterminant des **marques** appelées déclinaison qui diffèrent selon

- le **genre** du nom (masculin : *der Mann*, neutre : *das Buch* ou féminin : *die Frau*)
- le **nombre** du groupe (singulier : *das Kind* ou pluriel : *die Kinder*)
- le **cas** du groupe (*der Lehrer, den Lehrer* ou *dem Lehrer*)

En français, le groupe nominal peut être sujet / attribut du sujet, complément d'objet premier (COD) ou second (COI). On identifie ces fonctions en français grâce à la place du groupe nominal dans la phrase. En allemand, ce sont les cas qui expriment ces fonctions. Les cas sont reconnaissables grâce aux déclinaisons / marques sur le déterminant et/ou l'adjectif épithète.

a. La fonction sujet / attribut du sujet correspond au nominatif.

Meine Oma kommt am Samstag. *(Ma mamie vient samedi.)*
Jakob ist **mein bester Freund**. *(Jakob est mon meilleur ami.)*

b. La fonction complément d'objet premier répondant à la question qui (*wen*), que (*was*), quoi (*was*) correspond à l'**accusatif**.

Le masculin est le seul à avoir une forme **différente** à l'accusatif. Il prend alors la marque ***-en***.

Ich möchte ein**en** Hamburger und eine Bionade. *(Je voudrais un hamburger et une Bionade.)*

c. La fonction de complément d'objet second répondant à la question « à qui » (*wem*) correspond au **datif**.

Masculin et neutre prennent la marque ***-em*** tandis que le féminin prend la marque ***-er***.
Au pluriel, la marque est **double** : le déterminant porte la marque ***-en*** et le nom un ***-n***.

Certains verbes tels que *geben, schenken, schreiben, zeigen, schicken* peuvent avoir deux compléments.
En général, la personne qui est le bénéficiaire de l'action est au datif, la « chose » dont on parle est à l'accusatif (voir aussi page 96 du manuel).

Ich schenke mein**em** Vater ein Buch. *(J'offre un livre à mon père.)*
Der Vater gibt sein**en** Kinder**n** Bonbons. *(Le père donne des bonbons à ses enfants.)*
Das Mädchen schreibt sein**er** Tante eine Postkarte. *(La fille écrit une carte postale à sa tante.)*

d. L'accusatif et le datif après certaines prépositions et avec certains verbes.

Attention, l'accusatif et le datif s'utilisent également :

– pour différencier le lieu où l'on va (directif = accusatif) du lieu où l'on est (locatif = datif) après certaines prépositions dites « mixtes ».

Um zehn nach eins gehe ich **ins Schwimmbad**. *(À treize heures dix, je **vais** à la piscine.)* + accusatif
Von zwölf bis eins bin ich **in der Schule**. *(De midi à une heure, je **suis** à l'école.)* + datif

Les **prépositions mixtes** sont les suivantes :
- **in** = dans, à *(Er geht in den Schachclub.)*
- **an** = au bord de, au contact de *(Er hängt das Plakat an das Brett.)*
- **auf** = sur *(Der Teller ist auf dem Tisch.)*
- **vor** = devant *(Die Kinder spielen vor der Schule.)*
- **hinter** = derrière *(Der Hund geht hinter das Haus.)*
- **über** = au-dessus de *(Die Lampe hängt über dem Schreibtisch.)*
- **unter** = sous *(Das Buch liegt unter dem Bett.)*
- **neben** = à côté de *(Er setzt sich neben seine Schwester.)*
- **zwischen** = entre *(Der Junge sitzt zwischen seinem Vater und seinem Bruder.)*

– après des **prépositions à cas fixe**

– prépositions suivies de l'accusatif : *durch, für, gegen, ohne, um*

ein Geschenk **für** mein**en** Vater *(un cadeau pour mon père)* > *für* + accusatif

– prépositions suivies du datif : *aus, bei, mit, nach, seit, von, zu*

ein Tanzkurs **mit** mein**er** Freundin *(un cours de danse avec mon amie)* > *mit* + datif

– avec certains **verbes** par ex. *helfen, danken, raten*

Tobias hilft **seiner Schwester**. *(Tobias aide sa soeur.)* / Ich danke dir. *(Je te remercie.)*

– après la préposition *an* quand elle introduit un complément de temps désignant un jour ou une partie de la journée (*an* + datif).

Am Montag spiele ich Tennis. *(Je joue au tennis le lundi.)*
Am Vormittag haben die Schüler Unterricht. *(Les élèves ont cours le matin.)*

– lorsque l'on veut indiquer qu'un événement se produit avec régularité à l'aide du déterminant ***jed-*** qui sera à l'accusatif.

Jeden Tag spielt er Klavier. *(Chaque jour, il fait du piano.)*

e. La fonction complément du nom correspond au génitif.

Le **génitif** est le cas du complément de nom et permet d'exprimer l'appartenance.

Die Lehrerin d**er** 7b organisiert ein Filmfestival. *(Le professeur de la 5ème b organise un festival de cinéma.)*
Die Freundin mein**es** Bruders geht auch in den Schachclub. *(La copine de mon frère va aussi au club échecs.)*

Le génitif saxon utilisé avec des noms propres exprime lui aussi l'appartenance.

Das ist Lola**s** Pulli. *(C'est le pull de Lola)*
Paul**s** Buch *(le livre de Paul)*
Tina**s** Heft *(le cahier de Tina)*

On retrouve la même chose en anglais, mais le *s* est séparé du nom propre par une apostrophe :

Ben's bag *(le sac de Ben)*

Si le nom finit par **-s**, **-ß** ou **-x**, on utilise une simple apostrophe :

Max' Fahrrad *(le vélo de Max)*

On peut aussi utiliser la préposition *von* suivie du datif pour exprimer une relation d'appartenance.

das Buch **von Paul** *(le livre **de Paul**)*

der Computer **von meinem Bruder** *(l'ordinateur **de mon frère**)*

f. Les déterminants : article défini, démonstratif, interrogatif *welch(er)* et *jed(er)* (singulier seulement)

	masculin	neutre	féminin	pluriel
nominatif	der, dieser, welcher, jeder Schüler	das, dieses Baby welches, jedes Baby	die, diese, welche, jede Frau	die, diese, welche Kinder
accusatif	den, diesen, welchen, jeden Schüler	das, dieses, welches, jedes Baby	die, diese, welche, jede Frau	die, diese, welche Kinder
datif	dem, diesem, welchem, jedem Schüler	dem, diesem, welchem, jedem Baby	der, dieser, welcher, jeder Frau	den, diesen, welchen Kindern
génitif	des, dieses, welches, jedes Schülers	des, dieses, welches, jedes Babys	der, dieser, welcher, jeder Frau	der, dieser, welcher Kinder

g. Les déterminants : article indéfini, négation ou possessif

	masculin	neutre	féminin	pluriel
nominatif	einØ, keinØ, meinØ Mann	einØ, keinØ, meinØ Baby	eine, keine, meine Frau	Ø, keine, meine Kinder
accusatif	einen, keinen, meinen Mann	einØ, keinØ, meinØ Baby	eine, keine, meine Frau	Ø, keine, meine Kinder
datif	einem, keinem, meinem Mann	einem, keinem, meinem Baby	einer, keiner, meiner Frau	Ø, keinen, meinen Kindern
génitif	eines, keines, meines Manns	eines, keines, meines Babys	einer, keiner, meiner Frau	Ø, keiner, meiner Kinder

Tous les possessifs se comportent comme *mein* (cf. n° 3 p. 124).

5. La déclinaison de l'adjectif

a. Le groupe nominal peut également comporter un adjectif.

Celui-ci peut être :

– **attribut**. Il reste alors **invariable**, contrairement au français.

Meine Jacke ist schwarz. *(Ma veste est noire.)*

– **épithète**. Il se place alors toujours avant le nom et prend une marque.

Ich kaufe ein rot**es** T-Shirt. *(J'achète un T-Shirt rouge.)*

Cette marque diffère en fonction du déterminant précédant l'adjectif.

– Si le déterminant informe du genre, du nombre et de la fonction du groupe nominal, l'adjectif ne portera que les marques ***-e*** ou ***-en***.

	masculin	neutre	féminin	pluriel
nominatif	der blaue Pulli	das rote T-Shirt	die weiße Jacke	die braun**en** Schuhe
accusatif	den blau**en** Pulli	das rote T-Shirt	die weiße Jacke	die braun**en** Schuhe
datif	dem blau**en** Pulli	dem rot**en** T-Shirt	der weiß**en** Jacke	den braun**en** Schuhen
génitif	des blau**en** Pullis	des rot**en** T-Shirts	der weiß**en** Jacke	der braun**en** Schuhe

Si le déterminant n'informe pas du genre, du nombre et du cas du groupe nominal (on appelle cela la marque Ø) ou s'il est absent, l'adjectif portera alors lui-même les marques distinctives ***-er*** (masculin), ***-es*** (neutre) ou ***-e*** (pluriel).

	masculin	neutre	féminin	pluriel
nominatif	einØ blauer Pulli	einØ rotes T-Shirt	eine weiß**e** Jacke	Ø braune Schuhe
accusatif	einen blau**en** Pulli	einØ rotes T-Shirt	eine weiß**e** Jacke	Ø braune Schuhe
datif	einem blau**en** Pulli	einem rot**en** T-Shirt	einer weiß**en** Jacke	Ø braunen Schuhen
génitif	eines blau**en** Pullis	eines rot**en** T-Shirts	einer weiß**en** Jacke	Ø brauner Schuhe

b. L'adjectif peut servir à établir une comparaison.

Il porte alors une **marque** en fonction du **degré** de celle-ci :

– au comparatif de supériorité (plus ….. que), l'adjectif porte la marque ***-er*** et parfois un *Umlaut* s'il n'a qu'une seule syllabe.

Ben ist **größer** als Paul. *(Ben est plus grand que Paul.)*

– Au **superlatif** (le plus), l'adjectif prend la marque ***-st*** et parfois un *Umlaut* s'il n'a qu'une seule syllabe.

Die Klasse 7A hat das **tollst**e Projekt. *(La classe 7A a le projet le plus épatant.)*

Il faut intercaler un ***-e*** si l'adjectif / adverbe se termine par ***t***- ou ***-z*** (cf. le tableau ci-dessous).

Certains adjectifs ou adverbes peuvent être irréguliers au comparatif comme au superlatif (cf. le tableau ci-dessous).

Adjectifs constitués d'une seule syllabe

adjectifs	comparatif	superlatif
alt (vieux)	älter	ältest-
jung (jeune)	jünger	jüngst-
kalt (froid)	kälter	kältest-
warm (chaud)	wärmer	wärmst-
kurz (court)	kürzer	kürzest-
lang (long)	länger	längst-
arm (pauvre)	ärmer	ärmst-
klug (intelligent)	klüger	klügst-
dumm (bête)	dümmer	dümmst-
schwach (faible)	schwächer	schwächst-

Adjectifs / adverbes irréguliers

adjectifs/adverbes	comparatif	superlatif
gut (bon)	besser	best-
viel (beaucoup)	mehr	meist-
gern (volontiers)	lieber	liebst-
hoch (haut)	höher	höchst-
groß (grand)	größer	größt-

6. Les pronoms

a. Les pronoms personnels

Ils remplacent un groupe nominal et sont au même cas que lui, ils se déclinent.

À la troisième personne du singulier, il faut également tenir compte du genre du groupe nominal pour choisir le pronom qui le remplacera. (*er* au masculin ; *es* au neutre et *sie* au féminin)

SINGULIER	nominatif	accusatif	datif
1re personne	ich	mich	mir
2e personne	du	dich	dir
3e personne			
masculin	er	ihn	ihm
neutre	es	es	ihm
féminin	sie	sie	ihr

PLURIEL	nominatif	accusatif	datif
1re personne	wir	uns	uns
2e personne	ihr	euch	euch
3e personne	sie	sie	ihnen

Forme de politesse	nominatif	accusatif	datif
	Sie	Sie	Ihnen

Attention :

– L'allemand ne distingue pas le genre au pluriel, contrairement au français.
Il n'y a donc qu'un seul pronom ***sie***.

– Le « vous » français peut se traduire de deux façons en allemand. Le pronom ***ihr*** s'utilise quand il s'agit de plusieurs personnes que l'on tutoie individuellement. Le pronom ***Sie*** s'utilise quand il s'agit d'une ou plusieurs personnes que l'on vouvoie individuellement.

Herr Müller, ich freue mich, **Sie** zu treffen. Ich danke **Ihnen** für das Geschenk.
(Monsieur Müller, je me réjouis de vous rencontrer. Je vous remercie pour le cadeau.)

II. Le groupe verbal

1. Le présent de l'indicatif

a. Les auxiliaires *sein* (être) et *haben* (avoir)

Sein et *haben* sont irréguliers, leur conjugaison doit donc être apprise par cœur.

	sein	haben
ich	bin	habe
du	bist	hast
er / es / sie	ist	hat
wir	sind	haben
ihr	seid	habt
sie	sind	haben
Sie	sind	haben

b. Les verbes **faibles** avec ou sans **particule séparable**

Leur radical (obtenu en supprimant la marque de l'infinitif *-en* ou *-n*) ne change jamais.
Il est suivi de terminaisons verbales identiques pour tous les verbes : ***-e***, ***-st***, ***-t*** au singulier et ***-en***, ***-t***, ***-en*** pour le pluriel et le vouvoiement.

Les verbes qui terminent leur radical en ***s***, ***ß*** ou ***z*** ne prennent pas de ***s*** à la deuxième personne du singulier (*du tanzt*). La conjugaison est donc identique à la deuxième et troisième personne du singulier pour ces verbes.

Ich spiele Handball. Meine Eltern spielen Tennis und meine Schwester tanzt.
(Je joue au handball. Mes parents jouent au tennis et ma soeur danse.)

La particule séparable, s'il y en a une, se détache du radical pour aller se placer à la fin de la phrase déclarative quand le verbe faible est conjugué au présent de l'indicatif.

Die Schüler machen ihr Buch zu. *(Les élèves ferment leur livre.)*

	spielen	tanzen	aufmachen
ich	spiele	tanze	mache ... auf
du	spielst	tanzt	machst ... auf
er / es / sie	spielt	tanzt	macht ... auf
wir	spielen	tanzen	machen ... auf
ihr	spielt	tanzt	macht ... auf
sie	spielen	tanzen	machen ... auf
Sie	spielen	tanzen	machen ... auf

Comme l'allemand, l'anglais a aussi des verbes à particules. Mais en anglais, les mots sont écrits séparément.

aufstehen > to stand up
abschneiden > to cut off
reinkommen > to come in
ausgehen > to go out
aushöhlen > to scoop out

c. Les verbes **forts** avec ou sans **particule séparable**.

À la différence des verbes faibles, la voyelle du radical des verbes forts peut parfois changer à la deuxième et à la troisième personne du singulier au présent de l'indicatif (***a → ä*** ; ***e → i / ie***).
Les terminaisons verbales sont en revanche identiques à celles utilisées pour les verbes faibles.

Comme pour les verbes faibles, les verbes qui terminent leur radical en ***s***, ***ß*** ou ***z*** ne prennent pas de ***s*** à la deuxième personne du singulier (*du heißt*). La conjugaison est donc identique à la deuxième et troisième personne du singulier pour ces verbes.

Mein Austauschpartner **heißt** Julian. Er fährt Fahrrad und spricht gut Französisch.
(Mon correspondant s'appelle Julian. Il fait du vélo et parle bien français.)

La particule séparable, s'il y en a une, se détache également du radical pour aller se placer à la fin de la phrase déclarative quand le verbe fort est conjugué au présent de l'indicatif.

Ich **stehe** jeden Montag um sieben Uhr **auf**. *(Je me lève tous les lundis à 7 heures.)*

	fahren	sprechen	sehen	heißen	aufstehen
ich	fahre	spreche	sehe	heiße	stehe ... auf
du	fährst	sprichst	siehst	heißt	stehst ... auf
er / es / sie	fährt	spricht	sieht	heißt	steht ... auf
wir	fahren	sprechen	sehen	heißen	stehen ... auf
ihr	fahrt	sprecht	seht	heißt	steht ... auf
sie	fahren	sprechen	sehen	heißen	stehen ... auf
Sie	fahren	sprechen	sehen	heißen	stehen ... auf

d. Les verbes de modalité

Leur sens est donné dans le tableau.
Les verbes de modalité ont une conjugaison irrégulière pour les trois personnes du singulier.
Il faut les apprendre par cœur.
Les verbes de modalité sont en général suivis par un verbe à l'infinitif et ses compléments.

- **Magst** du mit mir ins Kino **gehen**? (Veux-tu aller au cinéma avec moi ?)
- Tobias **kann** nicht in die Schule **fahren**. Sein Fahrrad ist kaputt.
  (Tobias ne peut pas aller à l'école. Son vélo est cassé.)
- Heute Abend **dürfen** die Kinder **fernsehen**. *(Ce soir, les enfants ont le droit de regarder la télévision.)*
- Maite **muss** ihre Hausaufgaben **machen**. *(Maite est obligée de faire ses devoirs.)*
- Die Schüler **sollen** das Buch **aufmachen**.
  (Les élèves doivent ouvrir leur livre. [sous-entendu : le professeur le leur a demandé.])
- Morgen **will** Liam Computer **spielen**. *(Demain, Liam veut jouer à l'ordinateur.)*

	können *être capable de*	dürfen *avoir le droit de*	müssen *être obligé de*	sollen *être incité à / devoir*	wollen *vouloir*	mögen *aimer*
ich	kann	darf	muss	soll	will	mag
du	kannst	darfst	musst	sollst	willst	magst
er / es / sie	kann	darf	muss	soll	will	mag
wir	können	dürfen	müssen	sollen	wollen	mögen
ihr	könnt	dürft	müsst	sollt	wollt	mögt
sie	können	dürfen	müssen	sollen	wollen	mögen
Sie	können	dürfen	müssen	sollen	wollen	mögen

2. Le prétérit

Le prétérit est utilisé pour parler d'un **fait passé**. Il correspond à l'imparfait et au passé simple en français. À part pour les auxiliaires et les verbes de modalité, le prétérit est plutôt utilisé dans des récits écrits.

Le prétérit des verbes faibles se forme en ajoutant ***-te*** au radical du verbe.
Celui des **verbes forts** se forme **à partir du radical modifié** du verbe.
Quant aux auxiliaires de temps, leur prétérit se forme également **à partir du radical modifié**.

Pour tous les verbes, on ajoute au radical – modifié ou non – les terminaisons du présent de l'indicatif **sauf à la 1re et à la 3e personne du singulier.**

	verbes faibles : ex : *machen*	**verbes forts : ex : *fahren***	***sein***	***haben***	***werden***
ich	machteØ	fuhrØ	warØ	hatteØ	wurdeØ
du	machtest	fuhrst	warst	hattest	wurdest
er / es / sie	machteØ	fuhrØ	warØ	hatteØ	wurdeØ
wir	machten*	fuhren	waren	hatten	wurden
ihr	machtet	fuhrt	wart	hattet	wurdet
sie, Sie	machten*	fuhren	waren	hatten	wurden

* te + en = ten

Gestern **war** Tom krank. Es **ging** ihm wirklich schlecht, und er **hatte** Fieber.
(Hier, Tom était malade. Il n'allait vraiment pas bien et avait de la fièvre.)

3. Le parfait

Le parfait est utilisé pour parler des actions qui sont **terminées au moment où l'on parle**.
Il a donc valeur de **bilan**. Il correspond au passé composé en français et est très utilisé à l'oral.

C'est un **temps composé** :
– d'un **auxiliaire** (*sein* ou *haben*) conjugué au présent de l'indicatif.

On emploie *sein* avec des verbes exprimant un **changement de lieu ou d'état** (*gehen* ou *aufstehen*) et avec *bleiben*, *werden* ou *sein*.
Dans tous les autres cas, on utilise *haben*.

– d'un **participe II invariable** qui est toujours placé en **fin de phrase** dans l'énoncé déclaratif.
Le participe des verbes faibles se forme à l'aide du radical du verbe précédé de ***ge-*** et suivi de ***-t***.
(*machen → gemacht*)

Le participe des verbes forts se forme à l'aide du radical du verbe **souvent modifié** précédé de ***ge-*** et suivi de ***-en***. (*gehen → gegangen ; sprechen → gesprochen ; kommen → gekommen*)
Il faut apprendre le participe II des verbes forts par cœur (cf. Les verbes forts, p. 136).

Si le verbe faible ou fort est muni d'une **particule séparable**, le ***ge-*** s'intercale **entre** la **particule** et le **radical du verbe**. (*aufmachen → auf**ge**macht ; aufstehen → auf**ge**standen*)

Si le verbe faible ou fort **se termine en *-ieren*** ou a une **particule inséparable**,il ne prend pas de ***ge-*** (*gratulieren → gratuliert ; bekommen → bekommen*).

Les particules inséparables sont au nombre de 8 : ***be-***, ***emp-***, ***ent-***, ***er-***, ***ge-***, ***miss-***, ***ver-***, ***zer-***.

Verbes faibles

	spielen	**gratulieren**	**aufmachen**	**besuchen**
ich	habe ... gespielt	habe ... gratuliert	habe ... aufgemacht	habe ... besucht
du	hast ... gespielt	hast ... gratuliert	hast ... aufgemacht	hast ... besucht
er / es / sie	hat ... gespielt	hat ... gratuliert	hat ... aufgemacht	hat ... besucht
wir	haben ... gespielt	haben ... gratuliert	haben ... aufgemacht	haben ... besucht
ihr	habt ... gespielt	habt ... gratuliert	habt ... aufgemacht	habt ... besucht
sie / Sie	haben ... gespielt	haben ... gratuliert	haben ... aufgemacht	haben ... besucht

Heute **habe** ich meine Tante **besucht**. Wir **haben** Karten **gespielt**.
(Aujourd'hui, j'ai rendu visite à ma tante. Nous avons joué aux cartes.)

Verbes forts

	gehen	anrufen	bekommen
ich	bin ... gegangen	habe ... angerufen	habe ... bekommen
du	bist ... gegangen	hast ... angerufen	hast ... bekommen
er / es / sie	ist ... gegangen	hat ... angerufen	hat ... bekommen
wir	sind ... gegangen	haben ... angerufen	haben ... bekommen
ihr	seid ... gegangen	habt ... angerufen	habt ... bekommen
sie / Sie	sind ... gegangen	haben ... angerufen	haben ... bekommen

Ich **bin** mit meinen Freunden ins Kino **gegangen**. *(Je **suis allé(e)** au cinéma avec mes amis.)*

4. L'impératif

L'impératif sert à donner un ordre ou un conseil. Il s'utilise essentiellement aux deuxièmes personnes du singulier et du pluriel.
Pour de nombreux verbes, la 2e personne du singulier se forme en retranchant le ***-n*** de l'infinitif. Toutefois, dans la langue parlée, on supprime souvent le ***-e***.

Attention :
Pour les verbes forts en **-e** comme *nehmen*, *lesen* ... : l'impératif de la 2e personne du singulier correspond à la **forme modifiée du radical sans terminaison**.

	verbes forts en -*e* du type *nehmen*	verbes faibles et autres verbes forts
2e personne du singulier	NimmØ deinen Helm!	Prüf(e) die Reifen!
2e personne du pluriel	Nehmt euren Helm!	Prüft die Reifen!
Forme de politesse	Nehmen Sie Ihren Helm!	Prüfen Sie die Reifen!

5. Le futur

Le futur se forme à l'aide de l'auxiliaire ***werden*** au présent de l'indicatif et de l'infinitif du verbe que l'on veut conjuguer au futur. L'infinitif est placé en fin de proposition.

Dieses Jahr **wird** er Handball **spielen**. *(Cette année, il fera du handball.)*

Attention à la conjugaison de *werden* aux 2e et 3e personnes du singulier !

ich	werde	wir werden
du	**wirst**	ihr werdet
er / es / sie	**wird**	sie, Sie werden

III. La phrase

1. Les différents types de propositions

a. La proposition déclarative

Dans une proposition déclarative, le verbe **conjugué** est toujours en **deuxième** position.
La partie **non conjuguée** du groupe verbal (infinitif avec ou sans *zu*, particule séparable, participe II) se trouve toujours en **dernière** position.

Ich **möchte** eine Pizza **essen**. *(Je voudrais manger une pizza.)*
Ich **habe** vor, mich in den Tennisclub **einzuschreiben**. *(J'ai l'intention de m'inscrire au club de tennis.)*
Ich **rufe** eine Freundin **an**. *(J'appelle une amie.)*
Ich **bin** in den Supermarkt **gegangen**. *(Je suis allé/e au supermarché.)*

b. La proposition impérative

Dans une proposition impérative, le verbe **conjugué** est en **première position**.
La partie **non conjuguée** du groupe verbal se trouve toujours en **dernière** position.

Geh an die Tafel! *(Va au tableau !)*
Macht das Buch **auf**! *(Ouvrez le livre !)*
Vergiss nicht **zu kommen**. *(N'oublie pas de venir.)*

c. La proposition interrogative

– La question globale est celle à laquelle on répond par oui ou non. Le verbe conjugué est en première position. La partie **non conjuguée** du groupe verbal se trouve toujours en **dernière** position.

Kannst du Tennis **spielen**? *(Sais-tu jouer au tennis ?)*
Kommst du **mit**? *(M'accompagnes-tu ?)*

– La question partielle est celle à laquelle on ne peut jamais répondre par oui ou par non.
Elle commence par un mot interrogatif en *W-*. Le verbe **conjugué** est toujours en **deuxième** position. La partie **non conjuguée** du groupe verbal se trouve en dernière position.

Woher **kommst** du? *(D'où viens-tu ?)*
Wen **hast** du **angerufen**? *(Qui as-tu appelé ?)*
Wohin **möchtest** du heute Nachmittag **gehen**? *(Où voudrais-tu aller cet après-midi ?)*
Wann **hast** du vor, deine Freunde **einzuladen**? *(Quand as-tu l'intention d'inviter tes amis?)*

Les mots interrogatifs

information souhaitée	mot interrogatif utilisé	traduction
personne	Wer? / Wen? / Wem?	*Qui ? À qui ?*
chose	Was?	*Quoi ? Que ?*
lieu (où l'on est)	Wo?	*Où ?*
destination	Wohin?	*Où ?*
provenance	Woher?	*D'où ?*
cause	Warum?	*Pourquoi ?*
moment dans le temps	Wann?	*Quand ?*
manière	Wie?	*Comment ?*
âge	Wie alt?	*Quel âge ?*
quantité	Wie viel?	*Combien ?*

Précis grammatical

2. Lier les propositions

a. La coordination

On peut lier deux propositions à l'aide d'une **conjonction de coordination** comme *und* (et), *aber* (mais), *oder* (ou) et *denn* (car). Elle se place **entre** les deux propositions **sans modifier leur ordre**.
On parle de la position zéro de la conjonction de coordination.

Ich spiele Theater **und** (ich) mache Judo. *(Je fais du théâtre et du judo.)*
Ich tanze gern, **aber** ich spiele nicht gern Rugby. *(J'aime danser mais je n'aime pas jouer au rugby.)*
Ich gehe heute ins Kino **oder** ich bleibe zu Hause. *(Aujourd'hui, je vais au cinéma ou je reste à la maison.)*
Ich gebe am Samstag eine Party, **denn** ich habe Geburtstag. *(Je fais une soirée samedi car c'est mon anniversaire.)*

b. La subordination

On peut également lier deux propositions à l'aide d'une **conjonction de subordination** comme *dass* (= que), *weil* (= parce que), ou *wenn* (= si, expression de la condition). La proposition introduite par la conjonction **est appelée proposition subordonnée**.
Elle dépend souvent d'une autre proposition. Le **verbe conjugué** de la proposition subordonnée se place toujours en **dernière position**.

Tom ist nicht da, **weil** er krank **ist**. *(Tom n'est pas là parce qu'il est malade.)*
Toms Mutter hat mir gesagt, **dass** ihr Sohn eine Woche lang zu Hause bleiben **muss**.
(La mère de Tom m'a dit que son fils doit rester une semaine à la maison.)
Wenn du dich nicht erkälten **willst**, musst du dich warm anziehen.
(Tu dois t'habiller chaudement si tu ne veux pas attraper froid.)

– Les **mots interrogatifs** (cf. tableau p. 133) permettent aussi d'introduire des propositions subordonnées. Cela s'appelle l'interrogation indirecte.

Ich weiß nicht, **wann** die Tanz-AG ist. *(Je ne sais pas quand a lieu l'atelier de danse.)*
Er fragt, **wer** auch Handball spielt. *(Il demande qui joue aussi au handball.)*

– Les **pronoms relatifs** introduisent également une proposition subordonnée.

	masculin	neutre	féminin	pluriel
N	der	das	die	die
A	den	das	die	die
D	dem	dem	der	denen

Die Schauspieler, **die** in diesem Film spielen, sind wirklich super!
(Les acteurs qui jouent dans ce film sont vraiment super !)
Der Film, **den** du siehst, spielt in der Türkei. *(Le film que tu regardes se passe en Turquie.)*

Pour former le pronom relatif, l'allemand s'appuie sur l'article défini alors que l'anglais s'appuie sur le mot interrogatif.

Der Schauspieler, **den** ich am besten finde, ist … > The actor, **whom** I like best, is …

– Si le verbe est muni d'une particule séparable, celle-ci se place **devant** le radical comme à l'infinitif.

Der Lehrer möchte, dass der Schüler sein Buch **auf**macht. *(Le professeur voudrait que l'élève ouvre son livre.)*

– Si le verbe est conjugué au parfait, l'auxiliaire qui est conjugué se place en **dernière** position, il est précédé du participe II.

Tom geht es jetzt besser, weil der Arzt ihm Medikamente *gegeben* **hat**.
(Tom va mieux maintenant parce que le médecin lui a donné des médicaments.)

c. Les enchaînements argumentatifs

Un adverbe tel que ***deshalb*** (c'est pourquoi) permet de relier deux propositions. Son emploi n'est possible que si la cause a déjà été exprimée. Le verbe conjugué de la proposition introduite par ***deshalb*** est en deuxième position.

Er hat bald Geburtstag, **deshalb** gibt er eine Party.
(C'est bientôt son anniversaire, c'est pourquoi il donne une soirée.)
Sie kochen gern, **deshalb** wollen sie am Wettbewerb teilnehmen.
(Ils aiment cuisiner, c'est pourquoi ils veulent participer au concours.)

3. Nier la proposition

La négation ***nicht*** s'utilise pour **nier un fait**.

a. Si la négation concerne un **groupe** ou un **mot.**

Dans ce cas ***nicht*** se place directement **devant** cet élément. Il s'agit de la négation **partielle**.

Nina mag **nicht** gern Fisch. *(Nina n'aime pas le poisson.)*

b. Si la négation concerne **toute la phrase.**

Dans ce cas ***nicht*** se place en général en **fin** de phrase.

Fisch mag ich **nicht**. *(Je n'aime pas le poisson.)*

Quelques éléments peuvent néanmoins apparaître derrière *nicht* :
– la particule **séparable** d'un verbe : Ich mache mein Buch **nicht** auf. *(Je n'ouvre pas mon livre.)*
– un **infinitif** : Die Schüler sollen das Buch **nicht** aufmachen. *(Les élèves ne doivent pas ouvrir le livre.)*
– un **complément** qui constitue avec le verbe une expression figée (par exemple : *Fußball spielen*) :
Ich spiele **nicht** Fußball. *(Je ne joue pas au football.)*

Pour la négation d'un groupe indéfini ou indénombrable (avec *kein*), se reporter au n° 3. c, p. 123.

Précis grammatical

IV. Les verbes forts

Infinitif	Présent (3e pers. sing.)	Prétérit (3e pers. sing.)	Parfait participe II (3e pers. sing.)	Traduction
abschneiden	schneidet ab	schnitt ab	hat abgeschnitten	*couper (de)*
anbraten	brät an	briet an	hat angebraten	*faire revenir à la poêle*
ankommen	kommt an	kam an	ist angekommen	*arriver*
anrufen	ruft an	rief an	hat angerufen	*appeler (au téléphone)*
aufnehmen	nimmt auf	nahm auf	hat aufgenommen	*enregistrer*
aufschreiben	schreibt auf	schrieb auf	hat aufgeschrieben	*noter*
aufstehen	steht auf	stand auf	ist aufgestanden	*lever (se)*
ausgeben	gibt aus	gab aus	hat ausgegeben	*dépenser (de l'argent)*
ausschlafen	schläft aus	schlief aus	hat ausgeschlafen	*faire la grasse matinée*
aussehen	sieht aus	sah aus	hat ausgesehen	*ressembler à, avoir l'air de*
backen	backt/bäckt	backte/buk	hat gebacken	*faire cuire au four (gâteau)*
beginnen	beginnt	begann	hat begonnen	*commencer*
bekommen	bekommt	bekam	hat bekommen	*recevoir*
beschreiben	beschreibt	beschrieb	hat beschrieben	*décrire*
bitten	bittet	bat	hat gebeten	*demander, prier*
bleiben	bleibt	blieb	ist geblieben	*rester*
brechen	bricht	brach	hat gebrochen	*casser, briser*
einladen	lädt ein	lud ein	hat eingeladen	*inviter*
einschreiben	schreibt sich ein	schrieb sich ein	hat sich eingeschrieben	*inscrire s'*
entscheiden	entscheidet	entschied	hat entschieden	*décider*
erfahren	erfährt	erfuhr	hat erfahren	*apprendre qc à propos de*
erfinden	erfindet	erfand	hat erfunden	*inventer*
essen	isst	aß	hat gegessen	*manger*
fahren	fährt	fuhr	ist gefahren	*rouler, conduire, aller (en véhicule)*
fangen	fängt	fing	hat gefangen	*attraper*
finden	findet	fand	hat gefunden	*trouver*
fliegen	fliegt	flog	ist geflogen	*voler (en avion)*
geben	gibt	gab	hat gegeben	*donner*
gefallen	gefällt	gefiel	hat gefallen	*plaire*
gehen	geht	ging	ist gegangen	*aller à pied*
gewinnen	gewinnt	gewann	hat gewonnen	*gagner*
gießen	gießt	goss	hat gegossen	*verser (liquide)*
hinzugeben	gibt hinzu	gab hinzu	hat hinzugegeben	*ajouter*

Infinitif	Présent (3e pers. sing.)	Prétérit (3e pers. sing.)	Parfait participe II (3e pers. sing.)	Traduction
hochladen	lädt hoch	lud hoch	hat hochgeladen	*mettre en ligne, téléverser*
kommen	kommt	kommt	ist gekommen	*venir*
leihen	leiht	lieh	hat geliehen	*emprunter, prêter*
lesen	liest	las	hat gelesen	*lire*
liegen	liegt	lag	hat/ist gelegen	*être posé (couché), situé*
mitfahren	fährt mit	fuhr mit	ist mitgefahren	*accompagner en véhicule*
mitnehmen	nimmt mit	nahm mit	hat mitgenommen	*emporter*
nehmen	nimmt	nahm	hat genommen	*prendre*
rangehen	geht ran	ging ran	ist rangegangen	*répondre au téléphone*
raten	rät	riet	hat geraten	*deviner, conseiller*
reiten	reitet	ritt	ist geritten	*monter à cheval*
rufen	ruft	rief	hat gerufen	*appeler*
schneiden	schneidet	schnitt	hat geschnitten	*couper*
schreien	schreit	schrie	hat geschrien	*crier*
schreiben	schreibt	schrieb	hat geschrieben	*écrire*
schwimmen	schwimmt	schwamm	ist geschwommen	*nager*
sehen	sieht	sah	hat gesehen	*voir*
sein	ist	war	ist gewesen	*être*
singen	singt	sang	hat gesungen	*chanter*
sprechen	spricht	sprach	hat gesprochen	*parler*
springen	springt	sprang	ist gesprungen	*sauter*
stattfinden	es findet statt	es fand statt	es hat stattgefunden	*avoir lieu*
stehen	steht	stand	hat/ist gestanden	*être posé (debout)*
teilnehmen	nimmt teil	nahm teil	hat teilgenommen	*participer*
tragen	trägt	trug	hat getragen	*porter*
treffen	trifft	traf	hat getroffen	*rencontrer*
trinken	trinkt	trank	hat getrunken	*boire*
unternehmen	unternimmt	unternahm	hat unternommen	*entreprendre*
vergessen	vergisst	vergaß	hat vergessen	*oublier*
vergleichen	vergleicht	verglich	hat verglichen	*comparer*
versprechen	verspricht	versprach	hat versprochen	*promettre*
vorschlagen	schlägt vor	schlug vor	hat vorgeschlagen	*proposer*
waschen	wäscht	wusch	hat gewaschen	*laver*
werben	wirbt	warb	hat geworben	*faire de la pub*

V. Les verbes faibles irréguliers

Infinitif	Présent (3e pers. sing.)	Prétérit (3e pers. sing.)	Parfait participe II (3e pers. sing.)	Traduction
denken	denkt	dachte	hat gedacht	*penser*
erkennen	erkennt	erkannte	hat erkannt	*reconnaître*
kennen	kennt	kannte	hat gekannt	*connaître*
mitbringen	bringt mit	brachte mit	hat mitgebracht	*apporter qc à qn*

VI. Les verbes de modalité

Infinitif	Présent (3e pers. sing.)	Prétérit (3e pers. sing.)	Parfait participe II (3e pers. sing.)	Traduction
dürfen	darf	durfte	(hat gedurft)	*avoir le droit de*
können	kann	konnte	(hat gekonnt)	*être capable de*
mögen	mag	mochte	(hat gemocht)	*aimer*
müssen	muss	musste	(hat gemusst)	*être obligé(e) de*
sollen	soll	sollte	(hat gesollt)	*devoir*
wollen	will	wollte	(hat gewollt)	*vouloir*

Exercices de révision

❶ Réponds aux questions en commençant par les indications données entre parenthèses. Écris les heures en toutes lettres !

a. An welchem Tag ist die Werk-AG? (Montag)
b. Um wie viel Uhr fängt sie an? (15 Uhr)
c. Wann kann man sich einschreiben? (Dienstagnachmittag)
d. Von wann bis wann dauert sie? (16 Uhr bis 17 Uhr 30)
e. Wann muss man sich einschreiben? (12. September)
f. Wann finden alle AGs statt? (Nachmittag)

❷ Directif ou locatif ? Complète avec des terminaisons à l'accusatif ou au datif. Écris Ø s'il ne faut rien mettre.

Um halb acht fährt Jakob mit dem Rad in d▪▪▪ Schule. Auf d▪▪▪ Straße fahren viele Autos. Er sitzt bequem auf d▪▪▪ Sattel und muss schnell bremsen, weil ein Auto kommt! Zum Glück hält das Auto. Aber Jakobs Rucksack fällt zu Boden und alle seine Sachen liegen auf d▪▪▪ Boden. „Mist", denkt Jakob. Die Schule fängt in zehn Minuten an! Eine Frau hilft ihm, er steigt dann wieder auf sein▪▪▪ Rad und kommt um zehn vor acht in d▪▪▪ Schule. Er hat Glück! Vor d▪▪▪ Klassenzimmer sind schon seine Klassenkameraden, aber der Lehrer ist noch nicht da.

❸ Ajoute aux adjectifs les terminaisons qui conviennent.

Bald hat Ben Geburtstag. Er will eine toll▪▪▪ Party organisieren und seine best▪▪▪ Freunde einladen. Was soll es denn zu essen geben? Eine gut▪▪▪ italienisch▪▪▪ Pizza kann er beim freundlich▪▪▪ Italiener kaufen. Er kann einen grün▪▪▪ Salat vorbereiten. Er kann auch mit seiner nett▪▪▪ Mutter backen: Ein lecker▪▪▪ Schokoladenkuchen schmeckt immer! Aber Obst ist auch eine gut▪▪▪ Idee: Er kann einen frisch▪▪▪ Obstsalat vorbereiten.

❹ a. Complète à l'aide de l'accusatif (complément d'objet premier) ou du datif (complément d'objet second).
b. Puis réécris les phrases en remplaçant chaque groupe nominal souligné par le pronom qui convient. Écris Ø s'il ne faut rien mettre.

Tante Ursula ist in Berlin. Sie kauft ihr▪▪▪ Schwester ein▪▪▪ Tasche. Sie kauft ihr▪▪▪ Bruder ein▪▪▪ Fußballtrikot. Sie bringt ihr▪▪▪ Kinder▪▪▪ ein▪▪▪ Schal mit und wird ihr▪▪▪ Mann ein▪▪▪ Rezeptbuch geben: Er kocht so gern und kann dann Currywurst vorbereiten! Ihre Eltern wohnen in Frankfurt: Sie schreibt ihr▪▪▪ Eltern▪▪▪ ein▪▪▪ Postkarte.

❺ Fais de l'adjectif ou de l'adverbe entre parenthèses un comparatif.

a. Ich mag diesen Fußballspieler: Er ist viel (jung) und spielt (gut) als Schweinsteiger! Er ist auch (muskulös) als Özil!
b. – Wie findest du diese Schauspielerin? Sie ist (attraktiv) als alle anderen! Sie hat auch (viel) Stil!
– Ja, ich bin einverstanden, aber ihr Haar sollte (lang) sein.
c. Diese Sängerin höre ich (gern) als Lady Gaga: Sie singt (schön). Sie ist meine Lieblingssängerin!

Exercices de révision

6 Fais de l'adjectif ou de l'adverbe entre parenthèses un superlatif en suivant l'exemple.

Er ist schön > Er ist am schönsten.

a. Er ist alt.
b. Das Trikot kostet viel.
c. Der Film ist lang.
d. Der Schauspieler spielt gut.
e. Sie sieht peinlich aus!
f. Die Frau des Fußballspielers ist attraktiv.
g. Der Film ist interessant.

7 Conjugue les verbes entre parenthèses au prétérit de l'indicatif (verbes faibles et forts sont mélangés). Attention à la place des particules séparables !

Tobias (machen) rote Grütze: Er (kochen) die Kirschen mit den Beeren und dem Zucker. Dann (verrühren) er das Stärkemehl mit Wasser und (hinzugeben) es zu den Beeren. Alles (kochen) zwei Minuten. Dann (gießen) er die Grütze in schöne Gläser. Sie (abkühlen) und er (garnieren) sie dann mit Sahne.

8 Conjugue les verbes au parfait.

Anna und Lola ▪▪▪ sich zum Wettbewerb „Topchef Junior" ▪▪▪ (einschreiben). Sie ▪▪▪ Rezepte ▪▪▪ (bekommen). Sie ▪▪▪ in den Supermarkt ▪▪▪ (gehen) und ▪▪▪ alle Zutaten ▪▪▪ (kaufen). Sie ▪▪▪ dann Stunden in der Küche ▪▪▪ (bleiben) und ▪▪▪ die Rezepte ▪▪▪ (üben)! Dann ▪▪▪ sie ein Gericht ▪▪▪ (kochen) und ▪▪▪ alles ▪▪▪ (fotografieren). Endlich ▪▪▪ der große Tag im Fernsehen ▪▪▪ (kommen): Die Jury ▪▪▪ das Gericht ▪▪▪ (probieren)!

9 Reformule ce qu'ordonne la mère de Lukas à son fils ou à ses enfants. Utilise l'impératif.

a. Du sollst deinen kranken Freund besuchen.
b. Du sollst die Bücher und CDs mitnehmen.
c. Du sollst der alten Dame helfen.
d. Du sollst zum Direktor gehen.
e. Du sollst die Details nicht vergessen.
f. Ihr sollt alles der Polizei erzählen.
g. Ihr sollt den Dieb beschreiben.
h. Ihr sollt nichts vergessen.
i. Ihr sollt auch mit dem Kommissar sprechen.

10 Donne un conseil à l'aide du verbe *sollen* au subjonctif II.

a. Du fährst immer nur bei Grün.
b. Du vergisst Helm und Sicherheitsweste nicht.
c. Du prüfst regelmäßig den Scheinwerfer und das Rücklicht.
d. Ihr passt immer gut auf.
e. Ihr seid nachts sehr aufmerksam.
f. Ihr fahrt nicht zu schnell.

11 *zu* ou Ø ? Complète le texte.

a. – Willst du dich auch in den Chor ein▪▪▪schreiben? Dann rate ich dir, es heute noch ▪▪▪ machen.
b. – Ist es möglich, bei zwei AGs mit▪▪▪machen?
– Aber natürlich!
c. – Ach, ich möchte nicht in die Chor-AG ▪▪▪ gehen, es macht mir keinen Spaß ▪▪▪ singen. Es gefällt mir aber, Schach ▪▪▪ spielen. Und Lina geht auch in die Schach-AG. Ich freue mich sehr, mit ihr ▪▪▪ spielen!
d. – Wie ist es mit Basteln?
– Es interessiert mich nicht ▪▪▪ basteln, ich möchte lieber Sport ▪▪▪ machen!

12 Relie les questions a-g aux réponses 1-7.

a. Wann beginnt das Fußballtraining?
b. Was macht er denn dieses Jahr?
c. Warum magst du das nicht?
d. Mit wem gehst du in den Schachclub?
e. Um wie viel Uhr geht ihr in den Verein?
f. Welche Clubs gefallen dir?
g. Willst du dich in den Handballclub einschreiben?

1. Ich gehe mit Tom und Sebastian hin.
2. Oh ja! Handball ist mein Lieblingssport!
3. Wir gehen um drei in den Verein.
4. Ich mag das nicht, weil es so langweilig ist!
5. Alle Sportclubs gefallen mir!
6. Er spielt Tischtennis und Geige.
7. Es beginnt immer um 17 Uhr 30.

13 Complète avec *denn*, *weil* ou *deshalb*.

Lukas organisiert eine Party, ▪▪▪ er hat Geburtstag. Er lädt nur zehn Freunde ein, ▪▪▪ er in einer kleinen Wohnung wohnt. Seine Mutter hat keine Zeit, ▪▪▪ helfen ihm seine Freunde. Sie singen alle sehr gern, ▪▪▪ wird es auch eine Karaoke-Party sein. Aber Lukas muss auch kochen, ▪▪▪ sie essen werden. Zuerst muss er einkaufen gehen, ▪▪▪ er hat nicht alle Zutaten. Seine Mutter gibt ihm Geld, ▪▪▪ er nur noch 15 Euro hat!

14 Relie les deux phrases afin d'exprimer la condition en suivant l'exemple.

Du willst. / Ich besuche dich. > Wenn du willst, dann besuche ich dich.

a. Mein Freund ist krank. / Er bleibt zu Hause.
b. Sie bricht sich den Arm. / Sie geht ins Krankenhaus.
c. Tom fährt Rad. / Er muss aufpassen.
d. Ihr habt den Unfall gesehen. / Ihr müsst der Polizei alles erzählen.
e. Sie haben den Dieb gesehen. / Sie müssen ihn genau beschreiben.

15 Complète avec le pronom relatif qui convient.

a. Der Schauspieler, ▪▪▪ diesen Film gedreht hat, ist einfach toll!
b. *Stargate* ist die beste Science-Fiction-Serie, ▪▪▪ es gibt!
c. Die Freunde, mit ▪▪▪ ich ins Kino gehen will, sind auch Daniel-Brühl-Fans!
d. Der Film, ▪▪▪ ich letzte Woche im Kino gesehen habe, hat mir sehr gefallen.
e. Das DFB-Pokalspiel, ▪▪▪ du sehen willst, kommt heute Abend um 20 Uhr 15.
f. Die Nachrichten, ▪▪▪ immer so interessant sind, beginnen um 20 Uhr.
g. Willst du noch mehr über Stars erfahren? Dann schau dir das Starmagazin *Exclusiv* an, ▪▪▪ ich sehr gut finde!
h. *Mord auf Langeoog* ist ein TV-Krimi, in ▪▪▪ Wotan Wilke Möhring die Rolle des Hauptkommissars Thorsten Falke spielt.

Corrigés

1 a. *Am Montag ist die Werk-AG.*
b. *Um fünfzehn Uhr fängt sie an.*
c. *Am Dienstag Nachmittag kann man sich einschreiben.*
d. *Von vier bis halb fünf dauert sie.*
e. *Am 12. September muss man sich einschreiben.*
f. *Am Nachmittag finden alle AGs statt.*

2 Um halb acht fährt Jakob mit dem Rad in d*ie* Schule. Auf de*r* Straße fahren viele Autos. Er sitzt bequem auf de*m* Sattel und muss schnell bremsen, weil ein Auto kommt! Zum Glück hält das Auto. Aber Jakobs Rucksack fällt zu Boden und alle seine Sachen liegen auf de*m* Boden. „Mist", denkt Jakob. Die Schule fängt in zehn Minuten an! Eine Frau hilft ihm, er steigt dann wieder auf seinØ Rad und kommt um zehn vor acht in d*ie* Schule. Er hat Glück! Vor de*m* Klassenzimmer sind schon seine Klassenkameraden, aber der Lehrer ist noch nicht da.

3 Bald hat Ben Geburtstag. Er will eine tolle Party organisieren und seine best*en* Freunde einladen. Was soll es denn zu essen geben? Eine gute italienische Pizza kann er beim freundlich*en* Italiener kaufen. Er kann einen grün*en* Salat vorbereiten. Er kann auch mit seiner nett*en* Mutter backen: Ein lecker*er* Schokoladenkuchen schmeckt immer! Aber Obst ist auch eine gute Idee: Er kann einen frisch*en* Obstsalat vorbereiten.

4 a. Tante Ursula ist in Berlin. Sie kauft ihr*er* Schwester eine Tasche. Sie kauft ihr*em* Bruder einØ Fußballtrikot. Sie bringt ihr*en* Kinder*n* ein*en* Schal mit und wird ihr*em* Mann einØ Rezeptbuch geben: Er kocht so gern und kann dann Currywurst vorbereiten! Ihre Eltern wohnen in Frankfurt: Sie schreibt ihr*en* ElternØ eine Postkarte.
b. Tante Ursula ist in Berlin. Sie kauft *sie ihr*. Sie kauft *es ihm*. Sie bringt *ihn ihnen* mit und wird *es ihm* geben: Er kocht so gern und kann dann Currywurst vorbereiten! Ihre Eltern wohnen in Frankfurt: Sie schreibt *sie ihnen*.

5 a. Ich mag diesen Fußballspieler: Er ist viel *jünger* und spielt *besser* als Schweinsteiger! Er ist auch *muskulöser* als Özil!
b. – Wie findest du diese Schauspielerin? Sie ist *attraktiver* als alle anderen! Sie hat auch *mehr* Stil!
– Ja, ich bin einverstanden, aber ihr Haar sollte *länger* sein.
c. Diese Sängerin höre ich *lieber* als Lady Gaga: Sie singt *schöner*. Sie ist meine Lieblingssängerin!

6 a. Er ist *am ältesten*.
b. Das Trikot kostet *am meisten*.
c. Der Film ist *am längsten*.
d. Der Schauspieler spielt *am besten*.
e. Sie sieht *am peinlichsten* aus!
f. Die Frau des Fußballspielers ist *am attraktivsten*.
g. Der Film ist *am interessantesten*.

7 Tobias *machte* rote Grütze: Er *kochte* die Kirschen mit den Beeren und dem Zucker. Dann *verrührte* er das Stärkemehl mit Wasser und *gab* es zu den Beeren *hinzu*. Alles *kochte* zwei Minuten. Dann *goss* er die Grütze in schöne Gläser. Sie *kühlte ab* und er *garnierte* sie dann mit Sahne.

8 Anna und Lola *haben* sich zum Wettbewerb „Topchef Junior" *eingeschrieben*. Sie *haben* Rezepte *bekommen*. Sie *sind* in den Supermarkt *gegangen* und *haben* alle Zutaten *gekauft*. Sie *sind* dann Stunden in der Küche *geblieben* und *haben* die Rezepte *geübt*! Dann *haben* sie ein Gericht *gekocht* und *haben* alles *fotografiert*. Endlich *ist* der große Tag im Fernsehen *gekommen*: Die Jury *hat* das Gericht *probiert*!

9 a. *Besuch(e) deinen kranken Freund!*
b. *Nimm die Bücher und CDs mit!*
c. *Hilf der alten Dame!*
d. *Geh(e) zum Direktor!*
e. *Vergiss die Details nicht!*
f. *Erzählt alles der Polizei!*
g. *Beschreibt den Dieb!*
h. *Vergesst nichts!*
i. *Sprecht auch mit dem Kommissar!*

10 a. *Du solltest immer nur bei Grün fahren.*
b. *Du solltest Helm und Sicherheitsweste nicht vergessen.*
c. *Du solltest regelmäßig den Scheinwerfer und das Rücklicht prüfen.*
d. *Ihr solltet immer gut aufpassen.*
e. *Ihr solltet nachts sehr aufmerksam sein.*
f. *Ihr solltet nicht zu schnell fahren.*

11 a. – Willst du dich auch in den Chor einØschreiben? Dann rate ich dir, es heute noch *zu* machen.
b. – Ist es möglich, bei zwei AGs mitzumachen?
– Aber natürlich!
c. – Ach, ich möchte nicht in die Chor-AG Ø gehen, es macht mir keinen Spaß *zu* singen. Es gefällt mir aber, Schach *zu* spielen. Und Lina geht auch in die Schach-AG. Ich freue mich sehr, mit ihr *zu* spielen!
d. – Wie ist es mit Basteln?
– Es interessiert mich nicht *zu* basteln, ich möchte lieber Sport Ø machen!

12 *a-7 / b-6 / c-4 / d-1 / e-3 / f-5 / g-2*

13 Lukas organisiert eine Party, *denn* er hat Geburtstag. Er lädt nur zehn Freunde ein, *weil* er in einer kleinen Wohnung wohnt. Seine Mutter hat keine Zeit, *deshalb* helfen ihm seine Freunde. Sie singen alle sehr gern, *deshalb* wird es auch eine Karaoke-Party sein. Aber Lukas muss auch kochen, *weil* sie essen werden. Zuerst muss er einkaufen gehen, *denn* er hat nicht alle Zutaten. Seine Mutter gibt ihm Geld, *weil* er nur noch 15 Euro hat!

14 a. *Wenn mein Freund krank ist, dann bleibt er zu Hause.*
b. *Wenn sie sich den Arm bricht, dann geht sie ins Krankenhaus.*
c. *Wenn Tom Rad fährt, dann muss er aufpassen.*
d. *Wenn ihr den Unfall gesehen habt, dann müsst ihr der Polizei alles erzählen.*
e. *Wenn sie den Dieb gesehen haben, dann müssen sie ihn genau beschreiben.*

15 a. Der Schauspieler, *der* diesen Film gedreht hat, ist einfach toll!
b. *Stargate* ist die beste Science-Fiction-Serie, *die* es gibt!
c. Die Freunde, mit *denen* ich ins Kino gehen will, sind auch Daniel-Brühl-Fans!
d. Der Film, *den* ich letzte Woche im Kino gesehen habe, hat mir sehr gefallen.
e. Das DFB-Pokalspiel, *das* du sehen willst, kommt heute Abend um 20 Uhr 15.
f. Die Nachrichten, *die* immer so interessant sind, beginnen um 20 Uhr.
g. Willst du noch mehr über Stars erfahren? Dann schau dir das Starmagazin *Exclusiv* an, *das* ich sehr gut finde!
h. *Mord auf Langeoog* ist ein TV-Krimi, in *dem* Wotan Wilke Möhring die Rolle des Hauptkommissars Thorsten Falke spielt.

Lexique Allemand / Français

A

Abendessen, das (-) le dîner
Abendkleid, das (er) la robe de soirée
Abenteuer, das (-) l'aventure
aber mais
Abfahrt, die (en) le départ
Abitur, das baccalauréat
abkühlen refroidir
abschneiden (er schnitt ab, hat abgeschnitten) couper (de)
Abschluss, der (¨e) la fin, le diplôme de fin d'études
abstimmen voter
Abstimmung, die (en) le vote
Achtung! Attention !
Adler, der (-) l'aigle
Ahnung, die (en) la présomption, l'intuition
Ich habe keine Ahnung. Je n'en ai aucune idée.
allein seul
Alltag, der le quotidien, la vie de tous les jours
alt vieux, âgé
Wie alt bist du? Quel âge as-tu ?
Ich bin ... Jahre alt. J'ai ... ans.
Alter, das l'âge
Altstadt, die (¨e) la vieille ville
anbraten (er brät an, briet an, hat angebraten) faire revenir à la poêle
andere autre(s)
die anderen Kinder les autres enfants
Anfang, der (¨e) le début
Anfänger, der (-) le débutant
Angebot, das (e) l'offre
ankommen (er kommt an, kam an, ist angekommen) arriver
ankreuzen cocher
Kreuze die richtige Antwort an. Coche la bonne réponse.
Anmeldung, die (en) l'inscription
Anorak, der (s) l'anorak
anrufen (er rief an, hat angerufen) appeler (au téléphone)
Ruf mich an! Appelle-moi !
anschauen regarder
Schau dir das Foto an. Regarde la photo.
anschließend ensuite
anstrengend fatigant
Antwort, die (en) la réponse
Wer hat die richtige Antwort? Qui a la bonne réponse ?
antworten répondre
Anzeige, die (en) l'annonce
Schreib deine Anzeige. Écris ton annonce.
Apfel, der (¨) la pomme
Apfelschorle, die jus de pomme avec eau gazeuse
Appetit, der l'appetit
Guten Appetit! Bon appetit !
April, der le (mois d') avril
arbeiten travailler
Arbeitsblatt, das (¨er) la fiche de travail
Arbeitsgemeinschaft (AG), die (en) l'atelier
Arbeitsheft, das (e) le cahier d'activités
Arzt, der (¨e) le médecin
attraktiv attirant, séduisant
auch aussi
auf Wiedersehen au revoir
aufdrucken imprimer
Aufgabe, die (n) l'exercice, la tâche
aufmachen ouvrir
Mach dein Buch auf! Ouvre ton livre !
aufnehmen (er nimmt auf, nahm auf, hat aufgenommen) enregistrer
aufschreiben (er schrieb auf, hat aufgeschrieben) noter
aufstehen (er stand auf, ist aufgestanden) se lever
Wann stehst du auf? Quand est-ce que tu te lèves ?
Auftritt, der (e) l'entrée en scène, l'apparition publique
Auge, das (n) l'œil
August, der le (mois d') août
Ausflug, der (¨e) l'excursion, la sortie
ausfüllen remplir, compléter
Fülle das Starporträt aus. Complète la fiche signalétique.
ausgeben (er gibt aus, gab aus, hat ausgegeben) dépenser
Geld ausgeben dépenser de l'argent
Aushang, der (¨e) l'affichage
aushöhlen creuser
ausrollen étaler au rouleau de pâtisserie
ausschlafen (er schläft aus, schlief aus, hat ausgeschlafen) faire la grasse matinée
Ausschnitt, der (e) le décolleté, l'extrait
aussehen (er sieht aus, sah aus, hat ausgesehen) ressembler à, avoir l'air de
Wie sehen sie aus? De quoi ont-ils l'air ?
außerdem en plus, de plus
aussuchen choisir
Austausch, der l'échange
Austauschpartner, der (-) le correspondant
Austauschpartnerin, die (nen) la correspondante
auswählen choisir
Auswahl, die le choix
Die Auswahl ist groß! Il y a beaucoup de choix (dans un magasin) !
Auto, das (s) la voiture

B

backen (er bäckt, buk, hat gebacken) faire cuire au four (gâteau)
Badeanzug, der (¨e) le maillot (pour femmes)
Badehose, die (n) le maillot (pour hommes)
Badezimmer, das (-) la salle de bain
Bahnhof, der (¨e) la gare
bald bientôt
Bis bald! À bientôt !
Ball, der (¨e) le ballon, la balle
Ballett, das la danse classique, le ballet
Banane, die (n) la banane
basteln bricoler
Bauchweh, das le mal de ventre
bauen construire
Bauernhaus, das (¨er) la ferme
bedecken couvrir
Beispiel, das (e) l'exemple
zum Beispiel par exemple
bekannt connu
bekommen (er bekam, hat bekommen) recevoir
beliebt apprécié par tous
benutzen utiliser
bequem confortable
Berg, der (e) la montagne
Bericht, der (e) le compte rendu
berichten raconter en détail
Beruf, der (e) le métier
berühmt célèbre
Bescheid wissen être au courant
beschreiben (er beschrieb, hat beschrieben) décrire
Ich soll dir meine Schulwoche beschreiben. Je dois te décrire ma semaine d'école.
besichtigen visiter
besser mieux
bestehen aus (+ D) être composé de
bestimmt certainement
besuchen rendre visite
Bett, das (en)
ins Bett gehen aller au lit
bewerten évaluer
die Leistung (en) bewerten évaluer la performance
bewohnt habité
bezahlen payer
billig bon marché, pas cher
Biologie, die SVT
bis jusqu'à
bis später à plus tard
von 11 bis 12 Uhr de 11 à 12h
bitte s'il te plaît, s'il vous plaît, de rien
bitten (er bat, hat gebeten) demander, prier
um Hilfe bitten demander de l'aide
blamieren (sich) se couvrir de ridicule
Blatt, das (¨er) la feuille
blau bleu
bleiben (er blieb, ist geblieben) rester
zu Hause bleiben rester à la maison
Bleistift, der (e) crayon noir
Blick, der (e) la vue
ein toller Blick über ganz Berlin une belle vue sur tout Berlin
blöd bête, embêtant
blond blond
Blume, die (n) la fleur

Bluse, die (n) le chemisier
Bogenschießen, das le tir à l'arc
Boot, das (e) le bateau
Bratapfel, der (¨) la pomme au four
brauchen avoir besoin de
Ich brauche ein Messer. J'ai besoin d'un couteau. Il me faut un couteau.
brechen (er bricht, brach, hat gebrochen) casser, briser
Mein Arm ist gebrochen. J'ai un bras cassé.
Bremse, die (n) le frein
Brett, das (en) la planche (en bois)
das schwarze Brett le panneau d'affichage
Brief, der (e) la lettre
Briefpartner, der (-) le correspondant
Briefpartnerin, die (nen) la correspondante
Brille, die (n) les lunettes
Brot, das (e) le pain
Brötchen, das (-) le petit pain rond
Brücke, die (n) le pont
Bruder, der (¨) le frère
buchstabieren épeler
Können Sie bitte Ihren Nachnamen buchstabieren? Pouvez-vous épeler votre nom de famille s'il vous plaît ?
Buntstift, der (e) le crayon couleur
Burg, die (en) le château-fort
Butter, die beurre

C

Campingplatz, der (¨e) le camping
Chemie, die chimie
Chor, der (¨e) la chorale

D

dafür sein être pour
dagegen sein être contre
danke merci
dann ensuite, après
dass que (conj. sub.)
Dauer, die la durée
dauern durer
dein ton, ta
Delfin, der (e) le dauphin
denken (er dachte, hat gedacht) penser
deshalb c'est pourquoi
deutsch allemand(e)
Deutsche, der/die (n) l'Allemand, l'Allemande
Deutschland, (das) Allemagne
Deutschlehrer, der (-) le professeur d'allemand
Deutschlehrerin, die (nen) la professeure d'allemand
Dezember, der le (mois de) décembre
Dialog, der (e)
Lies den Dialog! Lis le dialogue!
Dieb, der (e) le voleur
Dienstag, der (e) le mardi
Donnerstag, der (e) le jeudi
Dorf, das (¨er) le village
drehen tourner
dreimal trois fois
du tu
dunkel sombre
durcheinander mélangé, pêle-mêle
dürfen (er darf, durfte) avoir le droit de
duschen prendre sa douche

E

Ebbe, die la marée basse
ebenso aussi
echt vraiment
Das ist echt gut. C'est vraiment bien. C'est trop bien.
einfach simple(ment)
einfügen insérer
einkaufen faire les courses / du shopping
Einkaufsliste, die (n) la liste de courses
Einkaufszentrum, das (-zentren) le centre commercial
einkreisen entourer
einladen (er lädt ein, lud ein, hat eingeladen) inviter
Ich lade dich zu meiner Party ein. Je t'invite à ma soirée.
Einladung, die (en) l'invitation
Schreib eine Einladung. Écris une invitation.
einmal une fois
Einrad, das (¨er) monocycle
einschreiben (er schreibt sich ein, schrieb sich ein, hat sich eingeschrieben) s'inscrire
Eintritt, der (le prix d')entrée
einverstanden d'accord
Einwohner, der (-) l'habitant
einzeln individuel(lement)
einzigartig unique
Eishockey, das le hockey sur glace
Eistee, der le thé glacé, l'icetea
Eltern, die (Pl) les parents
endlich enfin
England l'Angleterre
englisch anglais
entdecken découvrir
entscheiden (er entschied, hat entschieden) décider
Entscheidung, die (en) la décision
Entschuldigung! Pardon ! Excuse-moi ! Excusez-moi !
Entspannung, die la détente
er il
Erdbeere, die (n) la fraise
Erdkunde, die la géographie
erfahren (er erfährt, erfuhr, hat erfahren) apprendre qc à propos de
erfinden (er erfand, hat erfunden) inventer
Erfindung, die (en) l'invention
Erfolg, der (e) le succès
Viel Erfolg! Je te souhaite de réussir !
ergänzen compléter
erkennen (er erkannte, hat erkannt) reconnaître
erklären expliquer
Erklärung, die (en) l'explication
erleben vivre
Hier erlebst du Abenteuer! Ici, tu vivras des aventures!
Erlebnis, das (se) l'expérience mémorable
erstellen créer, établir
erzählen raconter
essen (er isst, aß, hat gegessen) manger
Essig, der le vinaigre
euer, eure votre

F

Fach, das (¨er) la matière
fahren (er fährt, fuhr, ist gefahren) rouler, conduire, aller (en véhicule)
Fahrrad, das (¨er) le vélo
Ich fahre oft Fahrrad. Je fais souvent du vélo.
Fall, der (¨e) le cas
auf keinen Fall en aucun cas
falsch faux
Familie, die (n) la famille
familienfreundlich familial
Familienurlaub, der les vacances en famille
Fanausstattung, die (en) l'équipement du fan
fangen (er fängt, fing, hat gefangen) attraper
Farbe, die (n) la couleur
Haarfarbe la couleur des cheveux
Augenfarbe la couleur des yeux
Februar, der le (mois de) février
fechten faire de l'escrime
fehlen manquer
feiern fêter
Fenster, das (-) la fenêtre
Ferien, die (Pl) les vacances
Feriencamp, das (s) la colo, le camp de vacances
Ferienhaus, das (¨er) la maison de vacances
Ferienlager, das (-) la colo, le camp de vacances
Ferienwohnung, die (en) l'appartement de vacances
Fete, die (n) la fête, la soirée
Ich lade dich zu meiner Fete ein. Je t'invite à ma soirée.
finden (er fand, hat gefunden) trouver
Wie findest du meine Idee? Comment tu trouves mon idée ?
Fisch, der (e) le poisson
Flagge, die (n) le drapeau
Fleck, der (en) la tâche
blaue Flecken des bleus

Lexique Allemand / Français

fliegen (er flog, ist geflogen) voler (en avion)
Flöte, die (n) la flûte
Flugzeug, das (e) l'avion
Wir fliegen mit dem Flugzeug. On prend l'avion.
Fluss, der (¨e) le fleuve
flüssig liquide
Flut, die (en) la marée haute
Fortgeschrittene, der (n) joueur/sportif confirmé
Fotoapparat, der (e) l'appareil photo
Frankreich (das) la France
Franzose, der (n) le Français
Französin, die (nen) la Française
französisch français
Frau, die (en) la femme
Frau Kruse Madame Kruse
frei libre
Ich habe frei. Je n'ai pas cours.
Freibad, das (¨er) la piscine extérieure
Freitag (e), der le vendredi
Freizeit, die (en) le temps libre
Was machst du in deiner Freizeit? Que fais-tu pendant ton temps libre ?
Freizeitangebot, das (e) l'offre de loisirs
freuen (sich) se réjouir
Ich freue mich! Je suis super content(e) !
Freund, der (e) l'ami
Freundin, die (nen) l'amie
Freundschaftsbuch, das (¨er) le livre souvenir des amis
Frikadelle, die (n) la boulette de viande grillée
frisch frais
froh content
Haribo macht Kinder froh. Haribo rend les enfants heureux.
Früchtetee, der (s) la tisane aux fruits rouges
früher autrefois
Frühling, der (e) le printemps
Frühstück, das le petit déjeuner
frühstücken prendre le petit déjeuner
Füller, der (-) le stylo plume
für (+ A) pour
furchtbar affreux
Fuß, der (¨e) le pied
zu Fuß gehen aller à pied
Fußball, der le football
Fußball spielen jouer au football
Fußgängerzone, die (n) la zone piétonne
füttern nourrir un animal

G

Gabel, die (n) la fourchette
ganz entier, tout
die ganze Familie toute la famille
garnieren décorer (un plat)
Garten, der (¨) le jardin
Gebäude, das (-) le bâtiment
geben (er gibt, gab, hat gegeben) donner
Es gibt … Il y a…
geboren sein être né(e)
Ich bin in Berlin geboren. Je suis né(e) à Berlin.
Geburtsort, der (e) le lieu de naissance
Geburtstag, der (e) l'anniversaire, date de naissance
Geburtstagsgeschenk, das (e) le cadeau d'anniversaire
Geburtstagsparty, die (s) la fête d'anniversaire
gefallen (er gefällt, gefiel, hat gefallen) plaire
Das gefällt mir! Cela me plaît !
Geige, die (n) le violon
gelb jaune
Geld, das l'argent
Geldbeutel, der (-) le porte-monnaie
Gemüsesuppe, die (n) la soupe aux légumes
Gemüsesuppe mag ich nicht. Je n'aime pas la soupe aux légumes.
genau exact(ement)
genug assez
genügend assez
Ihr habt nun genügend Informationen. Vous avez maintenant assez d'informations.
geradeaus tout droit
Gericht, das (e) le plat
gern volontiers, avec plaisir, aimer faire qc
Ich esse nicht gern Fisch. Je n'aime pas le poisson.
Ich lese gern. J'aime lire.
Geschäft, das (e) le magasin
Geschenk, das (e) le cadeau
Geschichte, die (n) l'histoire
Geschmack, der (¨er) le goût
Geschwister, die (Pl) les frères et soeurs
Gesellschaftsspiel, das (e) le jeu de société
Gesicht, das (er) le visage
gestern hier
gesucht cherché
Getränk, das (e) la boisson
Gewicht, das (e) le poids
gewinnen (er gewann, hat gewonnen) gagner
Gewinner, der (-) le gagnant (nom)
Gewitter, das (-) l'orage
Gewürzgurken, die (Pl) les cornichons
gießen (er goss, hat gegossen) verser (liquide)
Gips, der (e) le plâtre
Gitarre die (n) la guitare
Ich spiele Gitarre. Je joue de la guitare.
Glück, das la chance, le bonheur
zum Glück heureusement, par chance
Goldfisch, der (e) le poisson rouge
Grad, das le degré
grau gris
Grenze, die (n) la frontière
Griechenland (das) la Grèce
grillen cuire au barbecue
groß grand
Größe, die (n) la taille, la grandeur
Großeltern, die (Pl) les grands-parents
Großmutter, die (¨er) la grand-mère
Großstadt, die (¨e) la grande ville
Großvater, der (¨er) le grand-père
grün vert
gründen fonder
Grundschule, die (n) l'école primaire
Gruß, der (¨e) la salutation
Liebe Grüße! Meilleures salutations !
gut bien, bon
guten Morgen, guten Tag bonjour
Gymnasium, das (Gymnasien) le lycée

Haarbürste, die (n) la brosse à cheveux
Haare, die (Pl) les cheveux
Hackfleisch, das la viande hâchée
Hafen, der (¨) le port
halb demi
Es ist halb acht. Il est 7 heures et demie.
hallo salut (à l'arrivée)
Hamster, der (-) le hamster
Handlung, die (en) l'intrigue, le déroulement de l'histoire
Handschuh, der (e) le gant, la mouffle
Handtasche, die (n) le sac à main
Handtuch, das (¨er) la serviette
hart dur
hassen détester
Hassfach, das (¨er) la matière qu'on déteste
hässlich laid
Hauptrolle, die (n) le rôle principal
Hauptspeise, die (n) le plat principal
Hauptstadt, die (¨e) la capitale
Berlin ist Deutschlands Hauptstadt. Berlin est la capitale d'Allemagne
Haus, das (¨er) la maison
Sie kommt um 15 Uhr nach Hause. Elle rentre à 15 heures.
Ich bin zu Hause. Je suis à la maison. Je suis chez moi.
Hausaufgaben, die (Pl) les devoirs
Um drei Uhr mache ich meine Hausaufgaben. À trois heures, je fais mes devoirs.
Haustier, das (e) l'animal de compagnie
Heft, das (e) le cahier
heiraten se marier, épouser
heiß très chaud
heißen s'appeler
Wie heißt du? Comment t'appelles-tu ?
hektisch stressant
hell clair
Helm, der (e) le casque (vélo, moto)

herausfordern défier, provoquer
Herbst, der (e) l'automne
Herbstferien, die (Pl) les vacances d'automne
Herr, der (en) monsieur
heute aujourd'hui
hier ici, voici
Hilfe, die (n) l'aide
Hilfe! À l'aide !
Ich brauche Hilfe! J'ai besoin d'aide !
Erste Hilfe Premier secours
Himmel, der le ciel
hinzugeben (er gibt hinzu, gab hinzu, hat hinzugegeben) ajouter
Hobby, das (s) les loisirs
meine Hobbys mes activités de loisirs
hoch haut
hochladen (er lädt hoch, lud hoch, hat hochgeladen) mettre en ligne
hoffen espérer
Hörbuch, das (¨er) le livre audio
hören entendre
Ich kann dich nicht hören. Je ne t'entends pas.
Hörer, der (-) l'auditeur, le combiné téléphone)
Hose, die (n) le pantalon
hübsch joli
Hund, der (e) le chien
Hunger, der la faim
Ich habe Hunger. J'ai faim.

I

ich je, moi
ihr vous, son, sa, leur
Ihr votre (forme de politesse)
immer toujours
Insel, die (n) l'île
italienisch italien(ne)

J

ja oui
Jahr, das (e) l'an, l'année
jedes Jahr tous les ans
Jahrhundert, das (e) le siècle
Januar, der le (mois de) janvier
jetzt maintenant
Jugendclub, der (s) l'espace jeunes, le centre de loisirs
Jugendliche, der / die (n, n) l'adolescent / l'adolescente
Juli, der le (mois de) juillet
jung jeune
Junge, der (n, n) le garçon
Juni, der le (mois de) juin

K

Kalender, der (-) le calendrier
kalt froid
Kampfsport, der l'art martial
Kampfszene, die (n) la scène de combat
Kanzler, der (-) le chancelier
Kanzlerin, die (nen) la chancelière
Kapuze, die (n) capuche
Karte, die (n) la carte
eine Karte ziehen tirer une carte
Kartoffel, die (n) la pomme de terre
Kartoffelsalat, der (e) la salade de pommes de terre
Bratkartoffeln, die (Pl) les pomme de terre sautées
Käse, der le fromage
Käsekuchen, der (-) le gâteau au fromage blanc
Katze, die (n) le chat
kaufen acheter
kennen connaître
Kind, das (er) l'enfant
Kindergarten, der (¨) l'école maternelle, jardin d'enfants
Kinderzimmer, das (-) la chambre des enfants
Kindheit, die l'enfance
Kino, das (s) le cinéma
Kommst du mit ins Kino?
Tu nous accompagnes au cinéma ?
Klamotten (fam), die (Pl) les fringues
klappen marcher
Das hat geklappt! Cela a marché !
klar clair
Alles klar? Vous avez tout compris ?
Klasse, die (n) classe
Ich gehe in die siebte Klasse. Je suis en 5ème.
Klassenfahrt, die (en) le voyage scolaire
Klassenlehrer, der (-) le professeur principal
klauen voler
Klavier, das (e) le piano
Ich spiele Klavier. Je joue du piano.
Kleid, das (er) la robe
Kleider, die (Pl) les vêtements
Kleidung, die les vêtements
klein petit
Kleinstadt, die (¨e) la petite ville
klettern grimper, escalader
Kletterpark, der (s) le parc d'accrobranche
klopfen toquer, frapper (à la porte)
Koch, der (¨e) le cuisinier
kochen cuisiner, faire cuire
Koffer, der (-) la valise
Köln Cologne
kommen (er kam, ist gekommen) venir
Sie kommt aus Italien. Elle vient d'Italie.
Kommissar, der (e) le commissaire
Komponist, der (en) le compositeur
Kopfschmerzen, die (Pl) le mal de tête
kosten coûter, goûter
Was kostet das? Combien ça coûte ?
Willst du mal kosten? Tu veux goûter ?
kostenlos gratuit
Kraftraum, der (¨e) la salle de musculation
Krankenhaus, das (¨er) l'hôpital
Kreuzung, die (en) le croisement, le carrefour
Kreuzworträtsel, das (-) les mots croisés
Kuchen, der (-) le gâteau
Schokoladenkuchen le gâteau au chocolat
Kugelschreiber, der (-) le stylo bille
kühl frais
Kühlschrank, der (¨e) le frigo
Kunst, die (¨e) l'art, les arts plastiques
Künstler, der (-) l'artiste
Kunstwerk, das (e) l'œuvre d'art
Kurs, der (e) le cours
kurz court
Küste, die (n) la côte

Lagerfeuer, das (-) le feu de camp
Lampe, die (n) la lampe
Land, das (¨er) le pays, la campagne
Länderspiel, das (e) le match international
Landschaft, die (en) le paysage
lang long
Langeweile, die l'ennui
langweilen (sich) s'ennuyer
Ich langweile mich. Je m'ennuie.
langweilig ennuyeux
laut fort, à haute voix
Lies laut. Lis à haute voix.
Sprich lauter. Parle plus fort.
Leben, das (-) la vie
leben vivre
Sie lebt in Deutschland. Elle vit en Allemagne.
Lebensmittel, die (Pl) les aliments
lecker délicieux
Das sieht lecker aus. Cela a l'air bon.
Das schmeckt lecker. C'est bon / délicieux.
Lederhose, die (n) le pantalon en cuir
Lehrer, der (-) le professeur
Lehrerin, die (nen) la professeure
Leichtathletik, die l'athlétisme
leider malheureusement
leihen (er lieh, hat geliehen) emprunter, prêter
lernen apprendre
lesen (er liest, las, hat gelesen) lire
Lies den Dialog laut! Lis le dialogue à haute voix !
Leuchtturm, der (¨e) le phare
Licht, das (er) la lumière
lieben aimer, adorer
Lieblingsessen, das (-) le plat favori
Lieblingsfach, das (¨er) la matière préférée
Lieblingsfilm, der (-) le film préféré

Lexique Allemand / Français

Lieblingssport, der le sport favori
Lied, das (er) la chanson
Wir singen ein Lied. Nous chantons une chanson.
liegen (er lag, ist gelegen) (+ D) être posé (couché), situé
links gauche, à gauche
Lippenstift, der (e) le rouge à lèvres
Locken, die (Pl) cheveux bouclés
locken attirer (un animal)
Löffel, der (-) la cuillère
los
Na los! Allez-y ! Vas-y !
Da ist immer etwas los! Il s'y passe toujours quelque chose !
Was ist los? Qu'est-ce qu'il y a ? Qu'est-ce qui se passe ?
Lösung, die (en) la solution
Luft, die l'air
Auf dem Land ist die Luft besser. On respire mieux à la campagne.
Lust, die l'envie
Ich habe keine Lust, Pizza zu essen. Je n'ai pas envie de manger de la pizza.
lustig rigolo

machen faire
Mai, der le (mois de) mai
manchmal parfois
Manchmal gehen wir auch shoppen. De temps en temps, nous faisons du shopping.
Mann, der (¨er) le mari, l'homme
Mannschaft, die (en) l'équipe
Mantel, der (¨) le manteau
März, der le (mois de) mars
Mathematik, die les mathématiques
Mauerbau, der la construction du mur de Berlin
Maus, die (¨e) la souris
Meer, das (e) la mer
Meerschweinchen, das (-) le cochon d'Inde
Mehl, das la farine
mehr plus (de)
Kann ich bitte mehr Oliven haben? Est-ce que je peux avoir plus d'olives ?
Ich möchte nichts mehr. Je ne veux plus rien.
mein mon, ma
Messer, das (-) le couteau
Mikrowelle, die le four à micro-onde
Milch, die le lait
Mineralwasser, das l'eau minérale
mit (+ D) avec
mitbringen (er bringt mit, brachte mit, hat mitgebracht) apporter qc à qn
mitfahren (er fährt mit, fuhr mit, ist mitgefahren) accompagner en véhicule
Mitglied, das (er) le membre
mitmachen participer
mitnehmen (er nimmt mit, nahm mit, hat mitgenommen) emporter
Mitschüler, der (-) le camarade de classe
Mittagessen, das (-) le déjeuner
Mittelalter, das le Moyen Âge
Mittelmeer, das la Méditerranée
Mittwoch, der (e) le mercredi
Möbel, die (Pl) les meubles
mögen aimer
Ich mag das nicht. Je n'aime pas ça.
Ich möchte ins Kino gehen. J'aimerais aller au cinéma.
möglich possible
Montag, der (e) le lundi
morgen demain
München Munich
Museum, das (Museen) le musée
ein Museum besichtigen visiter un musée
Musik, die la musique
Ich höre gern Musik. J'aime bien écouter de la musique.
musikalisch musicien(ne), doué(e) pour la musique
Muskeltraining, das la musculation
muskulös musclé
müssen devoir, être obligé de
Ich muss meine Hausaufgaben machen. Je dois faire mes devoirs.
mutig courageux
Mütze, die (n) le bonnet

Na klar! Oui, bien sûr !
nach (+ D) après, à
Viertel nach neun 9h15
Ich gehe nach Hause. Je rentre à la maison.
Ich fahre nach Berlin. Je vais à Berlin.
Nachmittag, der (e) l'après-midi
Nachname, der (n) le nom de famille
Können Sie bitte Ihren Nachnamen buchstabieren? Pouvez-vous épeler votre nom de famille s'il vous plaît ?
Nachricht, die (en) le message
Nachrichten, die (Pl) le journal télévisé
Nachspeise, die (n) le dessert
nächste Woche, die (n) semaine prochaine
Nacht, die (¨e) la nuit
nah près
Name der (n) le nom
Mein Name ist ... Mon nom est...
nämlich en effet, effectivement
nass mouillé
Nationalmannschaft, die (en) l'équipe nationale
natürlich bien sûr, naturellement
neben (+ A/D) à côté de
nehmen (er nimmt, nahm, hat genommen) prendre
nein non
nett gentil
neu neuf
nichts rien
nie jamais
Nordsee, die la mer du Nord
Notizen, die (Pl) les notes
Mach dir Notizen. Prends des notes. Note tes idées.
November, der le (mois de) novembre
Nudeln, die (Pl) les pâtes
der Nudelsalat (e) la salade de pâtes

oder ou
Ofen, der (¨) le four
Öffnungszeiten, die (Pl) les horaires d'ouverture
oft souvent
ohne (+ A) sans
Oktober, der le (mois d') octobre
Öl, das l'huile
Oma, die (s) la mamie
Opa, der (s) le papy
Opfer, das (-) la victime
Ordner, der (-) le classeur
organisieren organiser

Paar, das (e) le couple, la paire
packen mettre (dans sa valise)
Papagei, der (en) le perroquet
Paprika, der/die le poivron
Park, der (s) le parc
Partner, der (-) le partenaire
Party, die (s) la fête, la soirée
Ich lade dich zu meiner Party ein. Je t'invite à ma soirée.
passen convenir
Wer passt zu dir? Qui te convient / te ressemble ?
Was passt dir? Qu'est-ce qui te convient ?
passend convenable, adapté
peinlich ridicule, gênant
pellen retirer la peau (œuf, patate)
Pfeffer, der le poivre
Ich brauche den Pfeffer. Il me faut le poivre.
pflanzen planter
Physik, die la physique
Plakat, das (e) l'affiche
planen planifier, prévoir
plötzlich tout à coup
Polen (das) la Pologne
Postkarte, die (n) la carte postale
praktisch pratique
prima super
Probetraining, das l'entraînement à l'essai
Problem, das (e) le problème
Kein Problem! Aucun souci !

rogramm, das (e) le programme
rojektwoche, die (n) la semaine de projets
ulli, der (s) le pull
unkt, der (e) le point
einen Punkt bekommen obtenir un point

Q

uatschen bavarder
mit Freunden quatschen bavarder avec des amis
uerflöte, die (n) la flûte traversière

R

adiergummi, der (s) la gomme
adtour, die (en) le balade en vélo
angehen (er ging ran, ist range-angen) répondre au téléphone
aspeln râper
aten (er rät, riet, hat geraten) deviner, onseiller
atespiel, das (e) la devinette
athaus, das (¨er) la mairie
atte, die (n) le rat
aum, der (¨e) la pièce
echnen calculer
echts droite, à droite
egal, das (e) l'étagère
egen, der la pluie
egenschirm, der (e) le parapluie
egisseur, der (e) réalisateur (d'un film)
egnen pleuvoir
Es regnet. Il pleut.
eifen, der (-) le pneu
eise, die (n) le voyage
eiseführer, der (-) le guide touristique
eiten (er ritt, ist geritten) monter à cheval
eligion, die la religion
ennfahrer, der (-) le pilote de course
ennrad, das (¨er) le vélo de course
eservieren réserver
etten sauver
ezept, das (e) das recette
ichtig juste
iesig géant
ing, der (e) l'anneau
ock, der (¨e) la jupe
ömer, der (-) le Romain
ot rouge
ucksack, der (¨e) le sac à dos
ückseite, die (n) le dos, le côté verso
uhig silencieux
Seid ruhig! Taisez-vous !
ühren touiller, mélanger, remuer
undfahrt, die (en) le circuit, tour en bateau u en véhicule

S

Saft, der (¨e) le jus
Orangensaft jus d'orange
Apfelsaft jus de pomme
sagen dire
Ich will euch etwas sagen. Je veux vous dire quelque chose.
Salat, der (e)
Kartoffelsalat salade de pommes de terre
Nudelsalat salade de pâtes
Salz, das le sel
sammeln collectionner
Samstag, der (e) le samedi
Sattel, der (¨) la selle
Schach, das les échecs
Schal, der (s) l'écharpe
schälen éplucher
Schatz, der (¨e) le trésor
Mein Schatz Mon chéri / trésor !
Schauspieler, der (-) l'acteur
Schauspielerin, die (n) l'actrice
schenken offrir
schick qui a de la classe
schicken envoyer
Ich schicke dir auch Fotos. Je t'envoie aussi des photos.
Schildkröte, die (n) la tortue
Schinken, der le jambon
Schlafsack, der (¨e) le sac de couchage
Schlagsahne, die la crème fouettée
Schlagzeug, das (e) la batterie (musique)
schlank mince
schlapp faible
schlecht mal, mauvais
Schloss, das (¨er) le château
Schluss, der (¨e) la fin
zum Schluss en dernier
Schnee, der la neige
schneiden (er schnitt, hat geschnitten) couper
schneien neiger
Es schneit. Il neige.
schnell vite
Schreib mir schnell! Écris-moi vite !
Schnitt, der (e) la coupe
Schnitzel, das (-) l'escalope
Wiener Schnitzel escalope viennoise
Schnitzeljagd, die (en) la chasse au trésor
schon déjà
schön beau, belle
Schotte, der (n) l'Écossais
Schrank, der (¨e) l'armoire
schrecklich horrible
schreiben (er schrieb, hat geschrieben) écrire
Schreibtisch, der (e) le bureau
Schublade, die (n) le tiroir
Schule, die (n) l'école
zur Schule gehen aller à l'école
Schüler / Schülerin, der/die (-) (nen) l'élève
Schülersprecher, der (-) le délégué des délégués
Schülerzeitung, die (en) journal de l'école
Schultag, der (e) le jour de classe
Schultasche, die (n) le cartable
Schulweg, der (e) le chemin de l'école
Schüssel, die (n) le saladier
schwärmen von (+ D) parler avec enthousiasme de
schwarz noir
Schwarzwälder Kirschtorte, die (n) la forêt noire (gâteau)
Schwester, die (n) la sœur
schwierig difficile
Schwimmbad, das (¨er) la piscine
schwimmen (er schwamm, ist geschwommen) nager
See, der (n) le lac
segeln faire de la voile
sehen (er sieht, sah, hat gesehen) voir
Sehenswürdigkeit, die (en) le monument, la curiosité
sein être
Ich bin ... Je suis...
sein son, sa
Das ist seine Mutter. C'est sa mère.
seit (+ D) depuis
selber machen faire soi-même
Sendung, die (en) l'émission TV
September, der le (mois de) septembre
Servus! Salut !
sicher sûr(ement)
Sicherheitsweste, die (n) le gilet fluorescent
sie elle, elles, ils
Sie vous (forme de politesse)
Sieger, der (-) le vainqueur
silberfarben couleur argent
Skateboard fahren faire du skate
Skifahrer, der (-) skieur
Skilanglauf, der le ski de fond
Sofa, das (s) le canapé
sollen devoir
Du sollst jetzt aufstehen. Tu dois te lever maintenant.
Sommer, der (-) l'été
Sommerferien, die (Pl) les vacances d'été
Sonne, die le soleil
sonnen (sich) bronzer
Sonnenbrille, die (n) les lunettes de soleil
Sonntag, der (e) le dimanche
Spaß, der l'amusement
Das macht Spaß! Cela m'amuse. C'est rigolo.
Was macht dir Spaß? Qu'est-ce qui t'amuserait ?
Viel Spaß! Amuse-toi Amusez-vous bien !
spät tard
Wie spät ist es? Quelle heure est-il ?
später plus tard
Speck, der les lardons
Speisekarte, die (n) le menu

Lexique Allemand / Français

Könnte ich die Speisekarte haben? Puis-je avoir le menu ?
Spiegel, der (-) le miroir
Spiel, das (e) le jeu
spielen jouer
Spielplatz, der (¨e) le terrain de jeu
Spielregel, die (n) la règle de jeu
Spieß, der (e) la brochette
Spitze, die (n) le sommet, le pic
Spitzname, der (n) le surnom
Sport, der le sport
Ich mache viel Sport. Je fais beaucoup de sport.
Sporthalle, die (n) le gymnase
sportlich sportif
Sprache, die (n) langue
Welche Sprache sprichst du? Quelle langue parles-tu ?
sprechen (er spricht, sprach, hat gesprochen) parler
Welche Sprache sprichst du? Quelle langue parles-tu ?
Sprich nach. Répète.
springen (er sprang, ist gesprungen) sauter
Sprung, der (¨e) le saut
Spur, die (en) la trace
Staatsangehörigkeit, die (en) la nationalité
Stadion, das (Stadien) le stade
Stadtführung, die (en) la visite guidée de la ville
Stadtzentrum, das (-zentren) le centre ville
Stammbaum, der (¨e) l'arbre généalogique
stark fort
Stärkemehl, das la fécule
stattfinden (es findet statt, fand statt, hat stattgefunden) avoir lieu
Steckbrief, der (e) le portrait, la fiche signalétique
stehen (+ D) être posé (debout)
Stereoanlage, die (n) la chaîne hifi
Stern, der (e) l'étoile
stilvoll de bon goût
Stimmung, die l'ambiance
Strand, der (¨e) la plage
Strandkorb, der (¨e) le fauteuil-cabine en osier (sur les plages du nord)
Straße, die (n) la rue
streng sévère
studieren faire des études
Stunde, die (n) l'heure
Stundenplan, der (¨e) l'emploi du temps
suchen chercher
Supermarkt, der (¨e) le supermarché
surfen faire de la planche à voile, surfer sur Internet
Surfkurs, der (e) le cours de planche à voile
süß mignon, sucré
sympathisch sympathique

T

Tabelle, die (en) le tableau (à colonnes)
Schreibe ... in die Tabelle. Écris... dans le tableau.
Tafel, die (n) le tableau
Komm an die Tafel! Viens au tableau !
eine Tafel Schokolade une tablette de chocolat
Tag der offenen Tür, der la journée portes ouvertes
tanzen danser
Täter, der (-) le coupable
tauchen plonger
Taucherbrille, die (n) le masque (de plongée)
Teig, der la pâte
teilen partager
Ich teile mein Zimmer mit meinem Bruder. Je partage ma chambre avec mon frère.
teilnehmen (er nimmt teil, nahm teil, hat teilgenommen) participer
Teilnehmer, der (-) le participant
Teilung, die (en) la séparation
Teller, der (-) l'assiette
teuer cher
tiefgekühlt surgelé
Tier l'animal
Tierarzt, der (¨e) le vétérinaire
Tipp, der (s) le conseil
Wer kann mir Tipps geben? Qui peut me donner des conseils / tuyaux ?
Tisch, der (e) la table
Tischtennis, das le ping-pong
toll super, génial
Tomatensoße, die (n) la sauce tomates
Topf, der (¨e) la casserole
Tor, das (e) la porte, le portail, le but
Torhüter, der (-) le goal
tragen (er trägt, trug, hat getragen) porter
Er trägt eine schwarze Brille. Il porte des lunettes noires.
Trage die Möbel in das Zimmer. Porte les meubles dans la chambre.
Training, das l'entraînement
Transportmittel, das (-) le moyen de transport
treffen (er trifft, traf, hat getroffen) rencontrer
Freunde treffen se retrouver entre amis
trennen (sich) se séparer
Trikot, das (s) le maillot
Auswärtstrikot maillot pour match à l'extérieur
Heimtrikot maillot pour match à domicile
trinken (er trank, hat getrunken) boire
trocken sec
Tschüss! Salut (au départ) !
T-Shirt, das (s) le T-shirt
Türke, der (n) le Turc
Türkei, die la Turquie
Türkin, die (nen) la (femme) Turque
türkisch turc
Turnier, das (e) le tournoi
Turnschuhe, die (Pl) les baskets
typisch typique
typisch deutsch typiquement allemand

üben s'entraîner
über (+ A/D) au-dessus
überall partout
überfluten inonder
überprüfen vérifer
Uhr, die (en) la montre, l'horloge, l'heure
Wie viel Uhr ist es? Quelle heure est-il ?
um à
Um wie viel Uhr kommst du? À quelle heure viens-tu ?
Umfrage, die (n) le sondage
umziehen (er zog um, ist umgezogen) déménager
unbedingt absolument
und et
Unfall, der (¨e) l'accident
uninteressant ininteressant
unser notre
unter (+ A/D) sous
unternehmen (er unternimmt, unternahm, hat unternommen) entreprendre
Unterricht, der l'enseignement, le cours
Der Unterricht beginnt um acht Uhr. Les cours commencent à huit heures.
Unterschrift, die (en) la signature
unterwegs en route, sur la route
Urlaub, der les vacances
Urlaubsort, der (e) le lieu de vacances
usw (und so weiter) etc.

verrühren mélanger
verbinden (er verband, hat verbunden) relier
Verbinde Bild und Text. Relie l'image et le texte.
Verdächtige, der (n) le suspect
Verein, der (e) le club, l'association
vergessen (er vergisst, vergaß, hat vergessen) oublier
vergleichen (er verglich, hat verglichen) comparer
Verkehr, der la circulation
verkehrssicher conforme aux règles de sécurité routière
vermischen mélanger
verschieden différent
versprechen (er verspricht, versprach, hat versprochen) promettre
versuchen essayer
verteilen étaler

iel beaucoup
ielleicht peut-être
iertel, das (-) le quart
Es ist Viertel nach acht. *Il est 8 heures et quart.*
ogel, der (¨) l'oiseau
okabeln, die (Pl) le vocabulaire
on (+ D) de
orbereiten préparer
orbild, das (er) l'idôle, le modèle
orhaben prévoir
Was hast du am Wochenende vor?
Que vas-tu faire ce week-end ?
orher avant
ormittag, der (e) la matinée
orname, der (n) le prénom
Wie ist sein / ihr Vorname ? *Quel est son prénom ?*
orschlagen (er schlägt vor, schlug vor, at vorgeschlagen) proposer
orspeise, die (n) l'hors d'œuvre
orstellen présenter
Stelle deine Familie vor. *Présente ta famille.*

vählen choisir, élire
Vahnsinn, der la folie
Das ist ja Wahnsinn! *C'est dingue !*
vahr vrai, véritable
Vahrzeichen, das (-) le symbole
Vald, der (¨er) la forêt
Vand le mur
Das Poster hängt an der Wand. *Le poster est accroché au mur.*
vandern faire de la randonnée
Vanderschuhe, die (Pl) les chaussures le marche
Vanderung, die (en) la randonnée
väre (subj. II de *sein*)
Das wäre toll! *Ce serait génial !*
varm chaud
vaschen (er wäscht, wusch, at gewaschen) laver
Vaschmaschine, die (n) la machine à laver
veh tun faire mal
veich mou, doux

weil parce que
weiß blanc
weit loin
welcher, welche, welches? quel / quelle ?
Welt, die (en) le monde
Das ist meine Welt! *C'est mon univers !*
Weltrekord, der (e) le record du monde
weltweit partout dans le monde
wen qui (complément)
Wen möchtest du einladen? *Qui veux-tu inviter ?*
wenn si, quand
wer qui
Wer ist das? *Qui c'est ?*
werben (er wirbt, warb, hat geworben) faire de la pub
Wettbewerb, der (e) le concours
Wetter, das la météo, le temps
Bei schlechtem Wetter bleibe ich zu Hause.
S'il fait mauvais, je reste à la maison.
Wettkampf, der (¨e) la compétition
wie comment
Wie geht's? *Comment ça va ?*
Wie alt bist du? *Quel âge as-tu ?*
wiederholen répéter
Kannst du bitte wiederholen? *Peux-tu répéter s'il te plaît ?*
Wiener Würstchen, das (-) la saucisse de Strasbourg
wieso pourquoi
wild sauvage
das Wildeste *le plus sauvage*
Willkommen! Bienvenue !
Wind, der (e) le vent
windig venteux
Winter, der (-) l'hiver
wir nous
wirklich vraiment
wo (locatif) où
Wo wohnst du? *Où habites-tu ?*
Woche, die (n) semaine
nächste Woche *la semaine prochaine*
Wochenende, das (n) le week-end
Am Wochenende treffe ich oft meine Freunde.
Le week-end, je vois souvent mes amis.
woher d'où
Woher kommt sie? *D'où vient-elle ?*
wohin où (directif)
Wohin können wir gehen? *Où est-ce qu'on peut aller ?*
wohnen habiter
Wo wohnst du? *Où habites-tu ?*
Wohnort, der (e) le domicile
Wohnwagen, die (-) la caravane
Wohnzimmer, das (-) le salon
Wolke, die (n) le nuage
wolkig nuageux
wollen vouloir
Wort, das (¨er) le mot
Schreibe die Wörter in dein Heft. *Écris les mots dans ton cahier.*
Wortschatz, der le vocabulaire
Würfel, der (-) le dé
würfeln jeter les dés
Wurst, die (¨e) la saucisse

Z

Zahl, die (en) le chiffre
zeichnen dessiner
Zeichner, der (-) le dessinateur
Zeichnerin, die (nen) la dessinatrice
zeigen montrer
Zeitschrift, die (en) le magazine
Zelt, das (e) la tente
Zettel, der (-) le petit papier
Zeuge, der (n) le témoin
Zeugenaussage, die (n) le témoignage
Zimmer, das (-) la pièce, la chambre
Zoo, der (s) le zoo
Zucker, der le sucre
zuerst d'abord
Zug, der (¨e) le train
zuhören écouter
Hör zu! *Écoute !*
zukünftig à venir, dans l'avenir
zuordnen attribuer, classer
zusammen ensemble
Zutaten, die (Pl) les ingrédients
zweimal deux fois
zweisprachig bilingue
Zwiebel, die (n) l'oignon

Lexique Français / Allemand

A

à côté de neben (A/D)
à plus tard bis später
à um
À quelle heure viens-tu ? Um wie viel Uhr kommst du?
absolument unbedingt
accompagner en véhicule mitfahren (er fährt mit, fuhr mit, ist mitgefahren)
acheter kaufen
acteur der Schauspieler (-)
actrice die Schauspielerin (nen)
adapté passend
adolescent (nom) der Jugendliche (n, n)
adorer lieben
J'adore l'allemand. Deutsch ist mein Lieblingsfach.
affichage der Aushang (¨e)
affiche das Plakat (e)
affreux furchtbar
âge das Alter
âgé alt
aide die Hilfe (n)
J'ai besoin d'aide ! Ich brauche Hilfe!
aimer mögen
Je n'aime pas ça. Ich mag das nicht.
J'aimerais aller au cinéma. Ich möchte ins Kino gehen.
aimer lieben
ajouter hinzugeben (er gibt hinzu, gab hinzu, hat hinzugegeben)
aliments die Lebensmittel (Pl)
Allemagne (das) Deutschland
allemand(e) deutsch
Allemand, Allemande der, die Deutsche
aller gehen (er ging, ist gegangen)
Cela me va. Das passt mir.
Je vais à l'école à pied. Ich gehe zu Fuß in die Schule.
Allez-y !, Vas-y ! Na los!
ami der Freund (e)
mon meilleur ami mein bester Freund
amie die Freundin (nen)
amusement der Spaß
amuser s' sich amüsieren, Spaß haben
Cela m'amuse. C'est rigolo. Das macht Spaß!
Qu'est-ce qui t'amuserait ? Was macht dir Spaß?
Amuse-toi ! Amusez-vous bien ! Viel Spaß!
an, année das Jahr (e)
tous les ans jedes Jahr
anglais englisch
Angleterre (das) England
animal das Tier (e)
animal de compagnie das Haustier (e)
anneau der Ring (e)
anniversaire der Geburtstag (e)
annonce die Anzeige (n)
Écris ton annonce. Schreib deine Anzeige.
anorak der Anorak (s)
août der August
appareil photo der Fotoapparat (e)
appartement de vacances die Ferienwohnung (en)
appeler (au téléphone) anrufen (er rief an, hat angerufen)
Appelle-moi ! Ruf mich an!
appeler, s' heißen
Comment t'appelles-tu ? Wie heißt du?
appetit der Appetit
Bon appetit ! Guten Appetit!
apporter qc à qn mitbringen (er bringt mit, brachte mit, hat mitgebracht)
apprendre lernen
apprendre qc à propos de erfahren (er erfährt, erfuhr, hat erfahren)
après dann, nach (+ D)
après-midi der Nachmittag (e)
argent das Geld
armoire der Schrank (¨e)
arriver ankommen (er kommt an, kam an, ist angekommen)
art martial der Kampfsport
art, arts plastiques die Kunst (¨e)
artiste der Künstler (-)
assez genügend, genug
Vous avez maintenant assez d'informations. Ihr habt nun genügend Informationen.
assiette der Teller (-)
atelier die Arbeitsgemeinschaft (AG) (en)
athlétisme die Leichtathletik
Attention! Achtung!
attrayant attraktiv
au revoir auf Wiedersehen
au-dessus über (+ A/D)
auditeur der Hörer (-)
aujourd'hui heute
aussi auch, ebenso
automne der Herbst (e)
autre(s) andere
les autres enfants die anderen Kinder
autrefois früher
avec mit (+ D)
aventure das Abenteuer (-)
avion das Flugzeug (e)
On prend l'avion. Wir fliegen mit dem Flugzeug.
avoir besoin de brauchen
J'ai besoin d'un coûteau. Il me faut un coûteau. Ich brauche ein Messer.
avoir le droit de dürfen (er darf, durfte)
avril der April

B

baccalauréat das Abitur
balade en vélo die Radtour (en)
balle, ballon der Ball (¨e)
banane die Banane (n)
baskets der Turnschuh (e)
bateau das Boot (e)
bâtiment das Gebäude (-)
batterie (musique) das Schlagzeug (e)
bavarder quatschen
bavarder avec des amis mit Freunden quatschen
beau, belle schön
beaucoup viel
bête blöd
beurre die Butter
bien (bon) gut
bien sûr natürlich
bientôt bald
À bientôt ! Bis bald!
Bienvenue ! Willkommen!
blanc weiß
bleu blau
blond blond
boire trinken (er trank, hat getrunken)
boisson das Getränk (e)
bon marché billig
bonheur das Glück
bonjour guten Morgen, guten Tag
bonnet die Mütze (n)
Brésil (das) Brasilien
brésilien(ne) brasilianisch
bricoler basteln
brochette der Spieß (e)
bronzer sonnen (sich)
brosse à cheveux die Haarbürste (n)
bureau der Schreibtisch (e), das Arbeitszimmer (-), das Büro (s)

C

cadeau das Geschenk (e)
cadeau d'anniversaire das Geburtstagsgeschenk (e)
cahier das Heft (e)
cahier d'activités das Arbeitsheft (e)
calculer rechnen
calendrier der Kalender (-)
camarade de classe der Mitschüler (-)
camp de vacances das Ferienlager (-), das Feriencamp (s)
campagne das Land
camping der Campingplatz (¨e)
canapé das Sofa (s)
conseiller raten (er rät, riet, hat geraten)
capitale die Hauptstadt (¨e)
Berlin est la capitale d'Allemagne. Berlin ist Deutschlands Hauptstadt.
capuche die Kapuze (n)
carrefour die Kreuzung (en)
cartable die Schultasche (n), der Schulranzen (-)
carte postale die Postkarte (n)
Écris une carte postale à ta grand-mère. Schreibe deiner Oma eine Postkarte.
carte die Karte (n)
tirer une carte eine Karte ziehen

as der Fall (¨e)
en aucun cas *auf keinen Fall*
asque (vélo, moto) der Helm (e)
asser brechen (er bricht, brach,
at gebrochen)
J'ai un bras cassé. *Mein Arm ist gebrochen.*
élèbre berühmt
entre commercial das Einkaufszentrum
-zentren)
entre ville das Stadtzentrum (zentren)
ertainement bestimmt
hambre das Zimmer (-)
hambre des enfants das Kinderzimmer (-)
hance das Glück
heureusement, par chance *zum Glück*
hancelier der Kanzler (-)
hancelière die Kanzlerin (nen)
hanson das Lied (er)
Nous chantons une chanson. *Wir singen ein Lied.*
hasse au trésor die Schnitzeljagd (en)
hat die Katze (n)
hâteau das Schloss (¨er)
hâteau-fort die Burg (en)
haud warm
hemin de l'école der Schulweg (e)
hemisier die Bluse (n)
her teuer
hercher suchen
heveux die Haare (Pl)
heveux bouclés die Locken (Pl)
hien der Hund (e)
hiffre die Zahl (en)
himie die Chemie
hoisir aussuchen, auswählen
hoix die Auswahl
Il y a beaucoup de choix (dans un magasin) !
Die Auswahl ist groß!
horale der Chor (¨e)
inéma das Kino (s)
Tu m'accompagnes au cinéma ?
Kommst du mit ins Kino?
ircuit (tour en bateau ou véhicule)
ie Rundfahrt (en)
lair klar, hell
Vous avez tout compris ? *Alles klar?*
lasse die Klasse (n)
Je suis en 5e. *Ich gehe in die siebte Klasse.*
lasser zuordnen
lasseur der Ordner (-)
ocher ankreuzen
Coche la bonne réponse. Kreuze die richtige Antwort an.
ochon d'Inde das Meerschweinchen (-)
ollectionner sammeln
:ologne Köln
olonie de vacances das Feriencamp (s),
as Ferienlager (-)
omment wie
Comment ça va ? *Wie geht's?*
ommissaire der Kommissar (e)
ompléter ergänzen, ausfüllen

compositeur der Komponist (en)
compte rendu der Bericht (e)
concours der Wettbewerb (e)
conduire fahren (er fährt, fuhr, ist gefahren)
confirmé (joueur, sportif)
der Fortgeschrittene (n)
confortable bequem
connaître kennen (er kannte, hat gekannt)
connu bekannt
conseil der Tipp (s)
Qui peut me donner des conseils ? *Wer kann mir Tipps geben?*
conseiller raten (er rät, riet, hat geraten)
construire bauen
content froh
contre gegen (+ A)
être contre *dagegen sein*
convenir passen
Cela me convient. *Das passt mir.*
Qui te convient / te ressemble ? *Wer passt zu dir?*
cornichons die Gewürzgurken (Pl)
correspondant der Austauschpartner (-),
der Briefpartner (-)
correspondante die Austauschpartnerin,
die Briefpartnerin (nen)
côte die Küste (n)
couleur die Farbe (n)
couleur des cheveux *die Haarfarbe (n)*
couleur des yeux *die Augenfarbe (n)*
couleur argent *silberfarben*
coupe der Schnitt (e)
couper schneiden (er schnitt, hat geschnitten)
couper (de) abschneiden (er schnitt ab,
hat abgeschnitten)
couple das Paar (e)
courageux mutig
cours der Kurs (e), der Unterricht
Je n'ai pas cours. *Ich habe frei.*
cours de planche à voile *der Surfkurs (e)*
court kurz
couteau das Messer (-)
coûter kosten
Combien ça coûte ? *Was kostet das?*
couvrir bedecken
se couvrir de ridicule *sich blamieren*
crayon de couleur Buntstift (e)
crayon noir Bleistift (e)
créer erstellen
crème fouettée die Schlagsahne
creuser aushöhlen
croisement die Kreuzung (en)
cuillère der Löffel (-)
cuisiner (faire cuire) kochen
cuisinier der Koch (¨e)

d'abord zuerst
d'accord einverstanden

danse classique das Ballett
danser tanzen
dauphin der Delfin (e)
de von (+ D)
dé der Würfel (-)
début der Anfang (¨e)
débutant der Anfänger (-)
décembre der Dezember
décider entscheiden (er entschied,
hat entschieden)
décision die Entscheidung (en)
décorer (un plat) garnieren, dekorieren
découvrir entdecken
décrire beschreiben (er beschrieb,
hat beschrieben)
Je dois décrire le malfaiteur. *Ich soll den Täter beschreiben.*
défier herausfordern
déjà schon
déjeuner das Mittagessen (-)
délicieux lecker
Cela a l'air délicieux. *Das sieht lecker aus.*
C'est délicieux. *Das schmeckt lecker.*
demain morgen
demander bitten (er bat, hat gebeten)
demander de l'aide *um Hilfe bitten*
déménager umziehen
demi halb
Il est 7 heures et demie. *Es ist halb acht.*
départ die Abfahrt (en)
dépenser ausgeben (er gibt aus, gab aus,
hat ausgegeben)
dépenser de l'argent *Geld ausgeben*
depuis seit (+ D)
dessert die Nachspeise (n)
dessinateur der Zeichner (-)
dessinatrice die Zeichnerin (nen)
dessiner zeichnen
détente die Entspannung
détester hassen
Je déteste les maths. *Ich hasse Mathe. Mathe ist mein Hassfach.*
deviner raten (er rät, riet,
hat geraten)
devinette das Ratespiel (e)
devoir sollen
Tu dois te lever maintenant. *Du sollst jetzt aufstehen.*
devoir müssen
Je dois faire mes devoirs. *Ich muss meine Hausaufgaben machen.*
devoirs die Hausaufgaben (Pl)
À trois heures, je fais mes devoirs.
Um drei Uhr mache ich meine Hausaufgaben.
dialogue der Dialog (e)
Lis le dialogue ! *Lies den Dialog!*
différent verschieden
difficile schwierig
dimanche der Sonntag (e)
dîner das Abendessen (-)
dire sagen

Je veux vous dire quelque chose. Ich will euch , Ihnen etwas sagen.
domicile der Wohnort (e)
donner geben (er gibt, gab, hat gegeben)
il y a... es gibt ...
dormir schlafen (er schläft, schlief, hat geschlafen)
d'où woher
D'où vient-elle ? Woher kommt sie?
drapeau die Flagge (n)
droite, à droite rechts
dur hart
durée die Dauer
durer dauern

E

eau das Wasser
eau minérale das Mineralwasser
échange der Austausch
écharpe der Schal (s)
échecs das Schach
école die Schule (n)
aller à l'école zur Schule gehen
école maternelle der Kindergarten (¨)
école primaire die Grundschule (n)
Écossais der Schotte, schottisch (n)
écouter zuhören
Écoute ! Hör zu!
écrire schreiben (er schreibt, schrieb, hat geschrieben)
Comment écrit-on... ? Wie schreibt man ...?
Écris dans ton cahier. Schreibe in dein Heft.
élève der Schüler (-) / die Schülerin (nen)
élire wählen
elle, elles sie
émission TV die Sendung (en)
emploi du temps der Stundenplan (¨e)
emporter mitnehmen (er nimmt mit, nahm mit, hat mitgenommen)
emprunter leihen (er lieh, hat geliehen)
en effet nämlich
en plus außerdem
enfance die Kindheit
enfant das Kind (er)
enfin endlich
ennui die Langeweile
ennuyer, s' sich langweilen
Je m'ennuie. Ich langweile mich.
ennuyeux langweilig
enregistrer aufnehmen (er nimmt auf, nahm auf, hat aufgenommen)
enseignement der Unterricht
Les cours commencent à huit heures. Der Unterricht beginnt um acht Uhr.
ensemble zusammen
ensuite dann
entendre hören
Je ne t'entends pas. Ich kann dich nicht hören.
entourer einkreisen
entraînement à l'essai das Probetraining
entraîner, s' üben
envie die Lust
Je n'ai pas envie de manger de la pizza. Ich habe keine Lust, Pizza zu essen.
envoyer schicken
Je t'envoie aussi des photos. Ich schicke dir auch Fotos.
épeler buchstabieren
Pourriez-vous épeler votre nom de famille s'il vous plaît ? Können Sie bitte Ihren Nachnamen buchstabieren?
éplucher schälen
équipe die Mannschaft (en)
équipe nationale die Nationalmannschaft (en)
équipement du fan die Fanausstattung (en)
escalader klettern
escalope das Schnitzel (-)
escalope viennoise das Wiener Schnitzel (-)
Espagne (das) Spanien
espagnol spanisch
espérer hoffen
essayer anprobieren
J'ai essayé cinq shorts. Ich habe fünf Shorts anprobiert.
et und
étagère das Regal (e)
étaler au rouleau de pâtisserie ausrollen
etc. usw (und so weiter),
été der Sommer (-)
être sein
Je suis... Ich bin ...
être au courant Bescheid wissen
être né(e) geboren sein
Je suis né(e) à Berlin. Ich bin in Berlin geboren.
évaluer bewerten
évaluer la performance die Leistung (n) bewerten
exact(ement) genau
excursion der Ausflug (¨e)
Excuse-moi ! / Excusez-moi ! Entschuldigung!
exemple das Beispiel (e)
par exemple zum Beispiel
exercice die Aufgabe (n), die Übung (n)
expérience die Erfahrung (en)
expérience mémorable das Erlebnis (se)
explication die Erklärung (en)
expliquer erklären
Pouvez-vous tout expliquer encore une fois ? Können Sie alles noch mal erklären?
extrait der Ausschnitt (e)

F

faible schlapp, schwach
faim der Hunger
J'ai faim. Ich habe Hunger.
faire machen
faire cuire au four (gâteau) backen (er bäckt, buk, hat gebacken)
faire de la planche à voile surfen
faire de la randonnée wandern
faire de la voile segeln
faire de l'escrime fechten
faire les courses (du shopping) einkaufen, shoppen
faire revenir à la poêle anbraten (er brät an, briet an, hat angebraten)
familial familienfreundlich
famille die Familie (n)
farine das Mehl
fatigant anstrengend
faux falsch
Ta réponse est fausse. Deine Antwort ist falsch
femme die Frau (en)
Madame Kruse Frau Kruse
fenêtre das Fenster (-)
ferme der Bauernhof (¨e) , das Bauernhaus (¨er
fête d'anniversaire die Geburtstagsparty (s)
fête die Party (s), die Fete (n)
Je t'invite à ma soirée. Ich lade dich zu meiner Party ein.
fêter feiern
feu de camp das Lagerfeuer (-)
feuille das Blatt (¨er)
feuille avec les consignes das Arbeitsblatt (¨er)
février der Februar
fiche de travail das Arbeitsblatt (¨er)
film der Film (e)
film préféré der Lieblingsfilm (-)
fin der Schluss (¨e)
en dernier zum Schluss
fleur die Blume (n)
fleuve der Fluss (¨e)
flûte die Flöte (n)
flûte traversière die Querflöte (n)
fois das Mal (e)
une fois einmal
football der Fußball (¨e)
jouer au foot Fußball spielen
forêt der Wald (¨er)
forêt noire (gâteau) die Schwarzwälder Kirschtorte (n)
fort stark, laut
fort (à haute voix) laut
Lis à haute voix. Lies laut.
Parle plus fort. Sprich lauter.
four der Ofen (¨)
four à micro-onde die Mikrowelle (n)
fourchette die Gabel (n)
frais frisch, kühl
fraise die Erdbeere (n)
framboise die Himbeere (n)
français französisch
Français der Franzose (n)
Française die Französin (nen)
France (das) Frankreich
frein die Bremse (n)
frère der Bruder (¨)

rères et soeurs die Geschwister (Pl)
rigo der Kühlschrank (¨e)
ringues die Klamotten (fam) (Pl)
roid kalt
romage der Käse (-)
sandwich au fromage das Käsebrot (e)
rontière die Grenze (n)

G

agnant (nom) der Gewinner (-)
agner gewinnen
ant der Handschuh (e)
are der Bahnhof (¨e)
âteau der Kuchen (-)
gâteau au fromage blanc der Käsekuchen (-)
gâteau au chocolat der Schokoladenkuchen (-)
auche, à gauche links
éant riesig
énial toll
entil nett
éographie die Erdkunde
ilet fluorescent die Sicherheitsweste (n)
omme der Radiergummi (s)
oût der Geschmack (¨e)
rand groß
rand-mère die Großmutter (¨er)
rand-père der Großvater (¨er)
rands-parents die Großeltern (Pl)
ratuit kostenlos
rèce (das) Griechenland
rillé gegrillt
rimper klettern
ris grau
uide touristique der Reiseführer (-)
uitare die Gitarre (n)
Je joue de la guitare. Ich spiele Gitarre.
ymnase die Sporthalle (n)

H

abitant der Einwohner (-)
abité bewohnt
abiter wohnen
Où habites-tu ? Wo wohnst du?
amster der Hamster (-)
aut hoch
eure die Stunde (n) , die Uhrzeit (en)
Cela dure une heure. Das dauert eine Stunde.
Quelle heure est-il ? Wie viel Uhr ist es?
ier gestern
istoire die Geschichte (n)
iver der Winter (-)
ockey sur glace das Eishockey
omme der Mann (¨er), der Mensch (en, en)
ôpital das Krankenhaus (¨er)
horaires d'ouverture die Öffnungszeiten (Pl)
horrible schrecklich
huile das Öl (e)

ici hier
il, ils er, sie
île die Insel (n)
immeuble das Hochhaus (¨er)
imprimer aufdrucken
individuel(lement) einzeln
inscription die Anmeldung (en)
inscrire, s' sich einschreiben (er schreibt sich ein, schrieb sich ein, hat sich eingeschrieben)
insérer einfügen
intéressant interessant
intrigue (déroulement de l'histoire) die Handlung (en)
inventer erfinden (er erfand, hat erfunden)
invention die Erfindung (en)
invitation die Einladung (en)
Écris une invitation ! Schreib eine Einladung!
inviter einladen (er lädt ein, lud ein, hat eingeladen)
Je t'invite à ma soirée. Ich lade dich zu meiner Party ein.
Italie (das) Italien
italien italienisch

jamais nie
jambon der Schinken (-)
janvier der Januar
jardin der Garten (¨)
jaune gelb
je ich
jeter les dés würfeln
jeu das Spiel (e)
jeu de société das Gesellschaftsspiel (e)
jeudi der Donnerstag
jeune jung
joli hübsch
jouer spielen
jour de classe der Schultag (e)
journal de l'école die Schülerzeitung (en)
journal télévisé die Nachrichten (Pl)
juillet der Juli
juin der Juni
jupe der Rock (¨e)
jus der Saft (¨e)
jus d'orange der Orangensaft (¨e)
jus de pomme der Apfelsaft (¨e)
jusqu'à bis
de 11 à 12h von 11 bis 12 Uhr
juste richtig

lac der See (n)
laid hässlich
lait die Milch
lampe die Lampe (n)
langue die Sprache (n)
Quelle langue parles-tu ? Welche Sprache sprichst du?
lardons der Speck
laver waschen (er wäscht, wusch, hat gewaschen)
Lave les fruits. Wasch das Obst.
lettre der Brief (e)
lever, se aufstehen (er stand auf, ist aufgestanden)
Quand est-ce que tu te lèves ? Wann stehst du auf?
libre frei
lieu de naissance der Geburtsort (e)
liquide flüssig
lire lesen (er liest, las, hat gelesen)
Lis le dialogue à haute voix ! Lies den Dialog laut!
liste de courses die Einkaufsliste (n)
lit das Bett (en)
aller au lit ins Bett gehen
loin weit
loisir das Hobby (s)
mes activités de loisirs meine Hobbys
long lang
lumière das Licht (er)
lundi der Montag
lunettes die Brille (n)
lunettes de soleil die Sonnenbrille (n)
lycée das Gymnasium (ien)

ma mein
magasin das Geschäft (e)
magazine die Zeitschrift (en)
mai der Mai
maillot (pour femmes) der Badeanzug (¨e)
maillot (pour hommes) die Badehose (n)
maintenant jetzt
mairie das Rathaus (¨er)
mais aber
maison das Haus (¨er)
maison de vacances das Ferienhaus (¨er)
Elle rentre à la maison. Sie geht nach Hause.
Je suis à la maison. / Je suis chez moi. Ich bin zu Hause.
mal (mauvais) schlecht
mal de tête die Kopfschmerzen (Pl)
mal au ventre das Bauchweh
malheureusement leider

mamie die Oma (s)
manger essen (er isst, aß, hat gegessen)
manquer fehlen
manteau der Mantel (¨)
marcher gehen, laufen
Cela a marché ! Das hat geklappt!
mardi der Dienstag (e)
marée basse die Ebbe
marée haute die Flut (en)
mari der Mann (¨er)
mon mari mein Mann
marier, se heiraten
mars der März
masque (de plongée) die Taucherbrille (n)
match international das Länderspiel (e)
mathématiques die Mathematik
matière scolaire das Fach (¨er)
matière préférée das Lieblingsfach (¨er)
matière qu'on déteste das Hassfach (¨er)
matinée der Vormittag (e)
mauvais schlecht
médecin der Arzt (¨e)
Méditerranée das Mittelmeer
mélangé durcheinander
membre das Mitglied (er)
menu die Speisekarte (n)
Puis-je avoir le menu ? Könnte ich die Speisekarte haben?
mer das Meer (e)
mer du Nord die Nordsee
merci danke
mercredi der Mittwoch
message die Nachricht (en)
météo das Wetter
S'il fait mauvais, je reste à la maison. Bei schlechtem Wetter bleibe ich zu Hause.
métier der Beruf (e)
mettre legen
mettre (dans sa valise) packen
mettre en ligne hochladen (er lädt hoch, lud hoch, hat hochgeladen)
meubles die Möbel
mieux besser
mignon süß
mince schlank
miroir der Spiegel (-)
mon mein
monde die Welt (en)
monocycle das Einrad (¨er)
monsieur der Herr (en)
montagne der Berg (e)
monter à cheval reiten (er ritt, ist geritten)
montrer zeigen
monument die Sehenswürdigkeit (en)
mot das Wort (¨er)
Écris les mots dans ton cahier. Schreibe die Wörter in dein Heft.
mots croisés das Kreuzworträtsel (-)
mouillé nass
Moyen Âge das Mittelalter
moyen de transport das Transportmittel (-)
Munich München
mur die Wand (¨e)
Le poster est accroché au mur. Das Poster hängt an der Wand.
musclé muskulös
musculation das Muskeltraining
musée das Museum (Museen)
visiter un musée ein Museum besichtigen
musique die Musik
J'aime bien écouter de la musique. Ich höre gern Musik.

N

nager schwimmen (er schwimmt, schwamm, ist geschwommen)
naturellement natürlich
né(e) geboren
neige der Schnee
neiger schneien
Il neige. Es schneit.
neuf neu, neun
noir schwarz
nom de famille der Nachname (n)
Pourriez-vous épeler votre nom de famille s'il vous plaît ? Können Sie bitte Ihren Nachnamen buchstabieren?
nom der Name (n)
Mon nom est... Mein Name ist ...
non nein
noter aufschreiben (er schreibt auf, schrieb auf, hat aufgeschrieben)
notes die Notizen (Pl)
Prends des notes. / Note tes idées. Mach dir Notizen.
notre unser
nourrir un animal füttern
nous wir
novembre der November
nuit die Nacht (¨e)

O

octobre der Oktober
œil das Auge (n)
œuvre d'art das Kunstwerk (e)
offre das Angebot (e)
offre de loisirs das Freizeitangebot (e)
offrir schenken
oignon die Zwiebel (n)
orage das Gewitter (-)
organiser organisieren
ou oder
où (directif) wohin
Où est-ce qu'on peut aller ? Wohin können wir gehen?
où (locatif) wo
Où habites-tu ? Wo wohnst du?
oublier vergessen (er vergisst, vergaß, hat vergessen)
oui ja
Oui, bien sûr ! Na klar!
ouvrir aufmachen
Ouvre ton livre ! Mach dein Buch auf!

P

pain das Brot
panneau das Brett (er)
panneau d'affichage das schwarze Brett
pantalon die Hose (n)
papy der Opa (s)
parapluie der Regenschirm (e)
parc der Park (s)
parc d'accrobranche der Kletterpark (s)
parce que weil
pardon Entschuldigung
parents die Eltern (Pl)
parfois manchmal
parler sprechen (er spricht, sprach, hat gesprochen)
Quelle langue parles-tu ? Welche Sprache sprichst du?
partager teilen
Je partage ma chambre avec mon frère. Ich teile mein Zimmer mit meinem Bruder.
partenaire der Partner (-)
participer mitmachen
partout überall
pâtes die Nudeln (Pl)
salade de pâtes der Nudelsalat (e)
payer bezahlen
pays das Land (¨er)
paysage die Landschaft (en)
pêle-mêle durcheinander
penser denken (er dachte, hat gedacht)
perroquet der Papagei (en)
petit klein
petit déjeuner das Frühstück
petit papier der Zettel (-)
peut-être vielleicht
phare der Leuchtturm (¨e)
physique die Physik
piano das Klavier (e)
Je joue du piano. Ich spiele Klavier.
pièce der Raum (¨e) , das Zimmer (-)
pied der Fuß (¨e)
aller à pied zu Fuß gehen
ping-pong das Tischtennis
piscine das Schwimmbad (¨er)
piscine extérieure das Freibad (¨er)
plage der Strand (¨e)
plaire gefallen (er gefällt, gefiel, hat gefallen)
Cela me plaît. Das gefällt mir!

lanifier planen
lanter pflanzen
lat das Gericht (e)
plat favori *das Lieblingsessen (-)*
plat principal *die Hauptspeise (n)*
lâtre der Gips (e)
leuvoir regnen
Il pleut. Es regnet.
longer tauchen
luie der Regen
lus de mehr
Est-ce que je peux avoir plus d'olives ? *Kann ich bitte mehr Oliven haben?*
Je ne veux plus rien. *Ich möchte nichts mehr.*
lus tard später
neu der Reifen (-)
oids das Gewicht (e)
oint der Punkt (e)
obtenir un point *einen Punkt bekommen*
oisson der Fisch (e)
poisson rouge *der Goldfisch (e)*
oivre der Pfeffer
oivron der , die Paprika (s)
ologne (das) Polen
omme der Apfel (¨)
pomme au four *der Bratapfel (¨)*
ommes de terre die Kartoffel (n)
salade de pommes de terre *der Kartoffelsalat (e)*
pommes de terre sautées *die Bratkartoffeln (Pl)*
ont die Brücke (n)
ort der Hafen (¨)
ortemonnaie der Geldbeutel (-)
orter tragen (er trägt, trug, hat getragen)
Il porte des lunettes noires. *Er trägt eine schwarze Brille.*
Porte les meubles dans la chambre ! *Trage die Möbel in das Zimmer!*
ossible möglich
our für (+ A)
être pour un projet *für ein Projekt sein*
ourquoi warum
c'est pourquoi *deshalb*
ratique praktisch
rendre nehmen (er nimmt, nahm, at genommen)
prendre le petit déjeuner *frühstücken*
prendre sa douche *duschen*
rénom der Vorname (n)
Quel est son prénom ? *Wie ist sein / ihr Vorname?*
réparer vorbereiten
rès nah (an + D), in der Nähe von
résenter vorstellen
Présente ta famille. *Stelle deine Familie vor.*
rêter leihen (er lieh, hat geliehen)
révision météo die Wettervorhersage (n)
révoir vorhaben
Que vas-tu faire ce week-end ? *Was hast du am Wochenende vor?*
rintemps der Frühling (e)
rix d'entrée der Eintritt, der Eintrittspreis
roblème das Problem (e)
Pas de problème ! *Kein Problem!*
professeur der Lehrer (-)
professeure die Lehrerin (nen)
professeur d'allemand *der Deutschlehrer (-)*
professeure d'allemand *die Deutschlehrerin (nen)*
professeur principal *der Klassenlehrer (-)*
professeure principale *die Klassenlehrerin (nen)*
programme das Programm (e)
proposer vorschlagen (er schlägt vor, schlug vor, hat vorgeschlagen)
pull der Pulli (s)

quand wenn
quart das Viertel (-)
Il est 8 heures et quart. *Es ist Viertel nach acht.*
que dass
qui (sujet) wer
Qui est-ce ? *Wer ist das?*
qui (complément) wen
Qui veux-tu inviter ? *Wen möchtest du einladen?*
quotidien der Alltag (e)

raconter erzählen
raconter en détail berichten
randonnée die Wanderung (en)
râper raspeln
rat die Ratte (n)
réalisateur (d'un film) der Regisseur (e)
recette das Rezept (e)
recevoir bekommen (er bekam, hat bekommen)
reconnaître erkennen (er erkannte, hat erkannt)
refroidir abkühlen
regarder anschauen
Regarde la photo. *Schau dir das Foto an.*
règles du jeux die Spielregel (n)
réjouir, se sich freuen
Je suis super content(e). *Ich freue mich!*
relier verbinden (er verband, hat verbunden)
Relie l'image et le texte. *Verbinde Bild und Text.*
religion die Religion
remplir ausfüllen
Complète la fiche signalétique. *Fülle das Starporträt aus.*
rencontrer treffen (er trifft, traf, hat getroffen)
rendre visite besuchen
repas das Essen (-)
repas sur le pouce *der Imbiss (e)*
répéter wiederholen
Peux-tu répéter s'il te plaît ? *Kannst du bitte wiederholen?*
Répète ! *Sprich nach!*
répondre antworten
répondre au téléphone rangehen (er ging ran, ist rangegangen)
réponse die Antwort (en)
Qui a la bonne réponse ? *Wer hat die richtige Antwort?*
réserver reservieren
ressembler à aussehen (er sieht aus, sah aus, hat ausgesehen)
rester bleiben (er blieb, ist geblieben)
rester à la maison *zu Hause bleiben*
ridicule peinlich
rien nichts
rigolo lustig
robe das Kleid (er)
rocher der Felsen (-)
rôle principal die Hauptrolle (n)
Romain der Römer (-)
rouge rot
rouge à lèvres der Lippenstift (e)
rouler (en véhicule) fahren (er fährt, fuhr, ist gefahren)

S

sa sein, ihr
sac die Tasche (n)
sac à dos *der Rucksack (¨e)*
sac à main *die Handtasche (n)*
sac de couchage *der Schlafsack (¨e)*
salade der Salat (e)
salade de pommes de terre *der Kartoffelsalat (e)*
salade de pâtes *der Nudelsalat (e)*
saladier die Schüssel (n)
salle de bain das Badezimmer (-)
salon das Wohnzimmer (-)
salut (à l'arrivée) hallo, servus
salut (au départ) tschüss, servus
salutation der Gruß (¨e)
Meilleures salutations ! *Liebe Grüße!*
samedi der Samstag (e)
sans ohne (+ A),
sauce tomates die Tomatensoße (n)
saucisse die Wurst (¨e)
saut der Sprung (¨e)
sauter springen (er sprang, ist gesprungen)
sauver retten
scène de combat die Kampfszene (n)
sel das Salz
selle der Sattel (¨)
semaine die Woche (n)
la semaine prochaine *nächste Woche (n)*
semaine de projets *die Projektwoche (n)*
séparation die Teilung (en)

séparer, se sich trennen
septembre der September
serviette das Handtuch (¨er), die Serviette (n)
seul allein
sévère streng
si wenn, ob, doch
siècle das Jahrhundert (e)
s'il te plaît, s'il vous plaît bitte
silencieux ruhig
simple(ment) einfach
singe der Affe (n)
skate das Skateboard (s)
faire du skate Skateboard fahren
ski de fond der Skilanglauf
skieur der Skifahrer (-)
sœur die Schwester (n)
soi-même selbst / selber
faire soi-même selber machen
soleil die Sonne (n)
solution die Lösung (en)
sombre dunkel
son sein, ihr
sondage die Umfrage (n)
soupe aux légumes die Gemüsesuppe (n)
Je n'aime pas la soupe aux légumes. Gemüsesuppe mag ich nicht.
souris die Maus (¨e)
sous unter (+ A/D)
souvent oft
sport der Sport
Je fais beaucoup de sport. Ich mache viel Sport.
sportif sportlich
stade das Stadion (Stadien)
stressant hektisch, stressig
stylo bille der Kugelschreiber (-)
stylo plume der Füller (-)
succès der Erfolg (e)
Je te souhaite beaucoup de succès ! Viel Erfolg!
sucre der Zucker (-)
super prima, toll, super, klasse
supermarché der Supermarkt (¨e)
sûr(ement) sicher
surnom der Spitzname (n)
SVT die Biologie
symbole das Wahrzeichen (-)
sympathique sympathisch

T

ta dein
table der Tisch (e)
tableau (à colonnes) die Tabelle (n)
Écris... dans le tableau ! Schreibe ... in die Tabelle!
tableau die Tafel (n)
Viens au tableau ! Komm an die Tafel!
tâche der Fleck (en)
taille die Größe (n)
taire, se ruhig sein
Taisez-vous ! Seid ruhig!
tard spät
temps libre die Freizeit
Que fais-tu pendant ton temps libre ? Was machst du in deiner Freizeit?
tente das Zelt (e)
terrain de jeu der Spielplatz (¨e)
thé glacé der Eistee (s)
tir à l'arc das Bogenschießen
tirer une carte eine Karte ziehen
tiroir die Schublade (n)
ton dein
toquer (à la porte) klopfen
tortue die Schildkröte (n)
touiller rühren
toujours immer
tourner drehen
tout à coup plötzlich
tout droit geradeaus
train der Zug (¨e)
travailler arbeiten
trésor der Schatz (¨e)
Mon trésor ! Mein Schatz!
trouver finden (er fand, hat gefunden)
Comment tu trouves mon idée ? Wie findest du meine Idee?
T-shirt das T-Shirt (s)
tu du
typique typisch
typiquement allemand typisch deutsch

une fois einmal
unique einzigartig
utiliser benutzen

vacances die Ferien (Pl), der Urlaub (e)
vacances d'automne die Herbstferien (Pl)
vacances d'été die Sommerferien (Pl)
vacances en famille der Familienurlaub (e)
vainqueur der Sieger (-)
valise der Koffer (-)
vélo das Fahrrad (¨er)
vélo de course das Rennrad (¨er)
Je fais souvent du vélo. Ich fahre oft Fahrrad.
vendredi der Freitag (e)
venir kommen (er kam, ist gekommen)
Elle vient d'Italie. Sie kommt aus Italien.
verser (liquide) gießen (er goss, hat gegossen)
vert grün
vêtements die Kleidung, die Kleider (Pl)
viande hâchée das Hackfleisch
victime das Opfer (-)
vie das Leben (-)
vieux alt
Quel âge as-tu ? Wie alt bist du?
J'ai... ans. Ich bin ... Jahre alt.
village das Dorf (¨er)
vinaigre der Essig
violon die Geige (n)
visage das Gesicht (er)
visite guidée de la ville die Stadtführung (en)
visiter besichtigen
vite schnell
Écris-moi vite ! Schreib mir schnell!
vivre leben, erleben
Elle vit en Allemagne. Sie lebt in Deutschland.
Ici, tu vivras des aventures! Hier erlebst du Abenteuer!
vocabulaire die Vokabeln (Pl) , der Wortschatz
voici hier
voir sehen (er sieht, sah, hat gesehen)
voiture das Auto (s)
voler (dérober) klauen
voler (en avion) fliegen (er flog, ist geflogen)
voleur der Dieb (e)
volontiers gern
vote die Abstimmung (en)
voter abstimmen
votre euer, eure
votre (forme de politesse) Ihr
vouloir wollen
vous (forme de politesse) Sie
voyage die Reise (n)
voyage scolaire die Klassenfahrt (en)
vraiment wirklich, echt
C'est vraiment bien. C'est trop bien. Das ist echt gut.
vue der Blick (e)
une belle vue sur tout Berlin ein toller Blick über ganz Berlin

week-end das Wochenende (n)
Le week-end, je vois souvent mes amis. Am Wochenende treffe ich oft meine Freunde.

Z

zone piétonne die Fußgängerzone (n)
zoo der Zoo (s)

Crédits photographiques

COUVERTURE *haut droite* © Shutterstock / Karl Allgaeuer ; *milieu gauche* © Shutterstock / Herbert Kratky ; *milieu* © Shutterstock / Ppictures ; *bas gauche* © Shutterstock / topora ; *bas milieu* © Shutterstock / Jacek Chabraszewski ; *bas droite* © Shutterstock / FooTToo ; **KAPITEL 1** ***p. 13*** *haut* © Alamy/Photo12 ; *milieu* © Shutterstock : Maksim Kabakou / Carme Balcells / DALSTOK / Carme Balcells / auremar ; *bas* © Katja Renner ; ***p. 14*** *haut gauche* © Shutterstock / Tom Prokop ; *haut droite* © Shutterstock / Flower_Power ; *milieu gauche* © Alamy/Photo12 ; *bas gauche* © Shutterstock / dyoma ; ***p. 15*** *haut gauche* © 2013 Dominique Charriau / Getty Images ; *haut milieu* © 2012 Franziska Krug / Getty Images ; *haut droite* © 2009 Getty Images ; *milieu gauche* © 2011 Getty Images ; *milieu droite* © 2011 Jakubaszek / Getty Images ; ***p. 16*** *haut droite* © Shutterstock / ZouZou ; *milieu droite* © Shutterstock : Maksim Kabakou / Carme Balcells / DALSTOK / Carme Balcells / auremar ; *bas gauche* © Shutterstock / Sergey Novikov ; ***p. 17*** *haut gauche* © Shutterstock / Carme Balcells ; *haut milieu* © DR ; *haut droite* © Shutterstock / DALSTOK ; *ensuite de haut en bas, de gauche à droite* : © Shutterstock / Praisaeng ; © Jacek Chabraszewski ; © Faraways © Wüste Film GmbH & Wüste Medien GmbH © Penhaligon Verlag; ***p. 20**, de haut à en bas, de gauche à droite* © Shutterstock : Tischenko Irina / S-F / © Praisaeng / Marina Jay / Jiri Hera / vovan / Pelevina Ksinia / MilsiArt ; ***p. 21*** *haut gauche* © Katja Renner ; *haut droite* © Aufbau Verlag ; *bas droite* © Katja Renner ; ***p. 22*** *milieu* © Shutterstock / Kenneth Man ; *bas droite* © Shutterstock / prapass ; **KAPITEL 2** ***p. 23*** *haut* © Shutterstock / Goodluz ; *milieu* © Shutterstock / Francesco Garucci ; *bas* © Photo12/Alamy ; ***p. 25*** *haut* © Shutterstock / Oleksiy Drachenko ; *milieu* © Shutterstock / Aleksandar Mijatovic ; *milieu droite* © Shutterstock / Andy Lidstone ; ***p. 26*** *haut* © Shutterstock / iPics ; *milieu* © Shutterstock / Andrea Skjold ; *bas* © Alamy / Photo 12 ; ***p. 27*** *haut gauche* (tablette) © Shutterstock / Leone_V ; *haut gauche* © Shutterstock / Goodluz ; *haut droite*© Shutterstock / Francesco Garucci ; *milieu gauche* © Shutterstock / Goodluz ; *milieu* © DR ; *milieu droite* © Shutterstock / Melica ; *bas gauche* © Shutterstock / travelpeter ; *bas gauche* (drapeau) © Shutterstock / Carsten Reisinger ; *bas droite* © Shutterstock / Frank Merfort ; ***p. 31*** *haut gauche* © Photo12 / Alamy ; *milieu* © Krueger / teamwork ; *milieu* © Shutterstock / dirkr ; *milieu droite* © DR ; *bas droite* © 2011 vidicom / comfilm.de ; ***p. 32*** © Shutterstock / Brendan Howard ; **KAPITEL 3** ***p. 33*** *haut* © Jim West / age fotostock ; *milieu* © Corbis ; bas © City-Press / Imago ; ***p. 34*** *haut gauche* © Shutterstock / Ivana Simic ; *haut droite* © Shutterstock / bioraven ; *milieu gauche* © Shutterstock / photomak ; *milieu droite* © Shutterstock / Pie-Guy ; ***p. 35*** *haut gauche* © Chris Ryan / Plainpicture ; *bas gauche* © Shutterstock / Alexandru Logel ; *bas milieu* © Shutterstock / Julija Sapic ; *bas droite* © Shutterstock / Peter Fuchs ; ***p. 36*** *haut* © Corbis ; *milieu* © Shutterstock / maxim ibragimov ; *bas* © Jim West / age fotostock ; ***p. 37*** *haut gauche* © Jens Schicke ; *haut milieu* © Shutterstock / VL1 ; *haut gauche (fond)* © Ingo Schulz / OKAPIA ; © Corbis ; *milieu* © Linus Morgen ; *bas gauche* © PT Images / age fotostock ; *bas milieu* © Alamy / Photo12 ; ***p. 40*** *haut milieu* © Shutterstock / Tyler Olson ; *haut droite* © Peter Roggenthin ; *milieu, de gauche à droite* © Moxie Productions / age fotostock ; © Oberhaeuser / Caro ; © Shutterstock / Goodluz ; © Shutterstock / auremar ; ***p. 41*** *haut droite* © City-Press / Imago ; *milieu gauche* © Bettina Krinner ; *milieu droite* © Eibner / Imago ; *bas droite* © collection Viona Harrer ; (pucks) © Shutterstock / Seamartini Graphics ; ***p. 42*** *milieu gauche* © Corbis ; *milieu droite* © Shutterstock / Danomyte ; **KAPITEL 4** ***p. 43*** *haut* © Shutterstock / sint ; *milieu* © Shutterstock / biletskiy ; *bas* © Hendrik Schmidt-lsn / DPA ; ***p. 44*** *de haut en bas*, de gauche à droite © Shutterstock / sint ; © Shutterstock / nikuwa ; © Shutterstock / biletskiy ; © Shutterstock / Olaf Speier ; © Shutterstock / Jacek Chabraszewski ; © Shutterstock / muzsy ; ***p. 45*** *de haut en bas, de gauche à droite* © Shutterstock / suerz ; © Shutterstock / OZaiachin ; © Shutterstock / Vereshchagin Dmitry ; © Shutterstock / lem ; © Shutterstock / Vereshchagin Dmitry ; ***p. 46*** © Corbis ; ***p. 47*** *haut gauche* © Shutterstock / Kiselev Andrey Valerevich ; *haut droite* © Shutterstock / Ro Sen ; *milieu* © Heath Korvola / Gettyimages ; *bas* © Shutterstock / Kzenon ; © Shutterstock / sababa66 ; ***p. 50*** *de gauche à droite, de haut en bas* © Shutterstock : Jim Noetzel / Sergey Peterman / dotshock / maximino / Zoran Karapancev ; © Corbis ; p. 51 *de gauche à droite, de haut en bas* © Shutterstock : BlueSkyImage / sanneberg / Jacek Chabraszewski ; ***p. 52*** *haut gauche* © Hendrik Schmidt-lsn / DPA ; *haut milieu* © Shutterstock / docstockmedia ; *haut droite* © Nietfeld / DPA-AP Images ; *milieu gauche* © Corbis ; *milieu droite* © Reiner Zensen /Imago ; *bas droite* © Crobis ; *fond de page* © Shutterstock / Mats ; ***p. 53*** © Shutterstock : Petrovic Igor / Ariwasabi / Gusev Mikhail Evgenievich ; **KAPITEL 5** ***p. 55*** *haut* © Image Source RF / vario images ; *milieu* © Shutterstock / Aletia ; *bas* © Jazz Archiv Hamburg / AKG ; ***p. 56*** *milieu* © Shutterstock / Africa Studio ; *milieu droite* © Image Source RF / vario images ; *bas* © Image Source RF / vario images ; ***p. 57*** *de gauche à droite de haut en bas* © Shutterstock / trabachar ; © DR ; © Shutterstock / PhotoSGH ; © Shutterstock / Ivonne Wierink ; © DR ; © Shutterstock / Africa Studio ; ***p. 58*** *milieu* © Shutterstock / Laborant ; droite © Rainer Jensen / Corbis ; ***p. 59*** *haut gauche* © Shutterstock / Nasgul ; *haut milieu* © Shutterstock / Nickola_Che ; © Shutterstock / Elnur ; *bas droite* © Shutterstock / Gwoeii ; ***p. 60*** *de gauche à droite de haut en bas* © Shutterstock / papkin ; © Creativ Studio Heinem / age fotostock ; © Shutterstock / Andre Viegas ; © Shutterstock / Anna Kucherova ; © Shutterstock / Dionisvera ; © Shutterstock / Valentyn Volkov © Shutterstock / Nattika ; © Shutterstock / M. Unal Ozmen © Shutterstock / KIM NGUYEN © Shutterstock / Sabino Parente © Shutterstock / Piero Paravidino © Shutterstock / baibaz ; ***p. 62*** *milieu droite* © Photo12 / Alamy ; *bas gauche* © Shutterstock / Aletia ; ***p. 63*** *haut gauche* © DR ; *haut droite* © DR ; *bas droite* © Shutterstock / Dionisvera ; ***p. 67*** *de gauche à droite de haut en bas* © Shutterstock : ociq / ociq / Gl0ck / Fabio Freitas e Silva / aquariagirl1970 / margouillat photo / Sashkin / Moving Moment ; ***p. 68*** *haut gauche* © Birgit Koch/imagebrok-agefotostock ; *haut droite* © Shutterstock / Tatiana Frank ; *milieu* © Scatà Stefano / Bildagentur Huber ; *droite (sur fond)* © Kaktusfactory / StockFood-StudioX ; © Kremer / StockFood –StudioX ; © Bagwell / StockFood-StudioX ; ©Foodcollection / StockFood-StudioX ; ©Photo12 / Alamy ; *bas gauche* © Shutterstock / noonday ; ***p. 69*** *haut gauche* © Iris Edinger / Jazz Archiv-DP ; *haut droite* © Jazz Archiv Hamburg / AKG ; *milieu* © Bernd Weissbrod / DPA ; *milieu droite* © Herbert P. OCZERET / Epa-Corbis ; *bas gauche* © DR ; ***p. 70*** © Shutterstock / vectorgirl ; **KAPITEL 6** ***p. 71*** *haut* © Shutterstock / Chamille White ; *milieu* © David Wall / DPA ; *bas* © Eduard Erben / isifa-Getty Images ; ***p. 72*** *haut gauche* © Photo12 / Alamy ; *haut droite* © Photo12 / Alamy ;

milieu gauche © Stuart Pearce / age fotostock ; *milieu droite* © Shutterstock / wellphoto ; ***p. 73*** *bas gauche* © Shutterstock / Jacek Chabraszewski ; *bas droite* © Shutterstock / Barnaby Chambers ; ***p. 74*** *haut droite* © DR ; *bas droite* © Shutterstock / vovan ; ***p. 75*** *de gauche à droite, de haut en bas* © Shutterstock : Alexandru Nika / Cbenjasuwan / Kitch Bain / John Kasawa / nex999 / / Africa Studio / Aaron Amat / Chamille White / Vaclav Volrab ; ***p. 76*** *de gauche à droite, de haut en bas* © Shutterstock : Chamille White / Minerva Studio / Derek Latta / Horst Petzold / Lena Ivashkevich / Armin Staudt / Kiselev Andrey Valerevich / stockyimages ; ***p. 78*** *haut* © Shutterstock / Warren Goldswain ; *milieu* © Shutterstock / auremar ; *bas* ©David Wall/DPA ; ***p. 79*** *haut gauche* © McPHOTO / age fotostock ; *haut droite* © Walter G. Allgöwer / Chromorange-DPA ; *milieu gauche* © Shutterstock / JCVStock ; *milieu droite* © Paul Zinken / DPA ; ***p. 83*** *de gauche à droite, de haut en bas* © Shutterstock : Bartlomiej Nowak / Alexandru Nika / Matthew Cole / CRWPitman / Danomyte / Lim Yong Hian / steamroller_blues / Kaponia Aliaksei / Grzegorz Placzek / Elnur / Ljupco Smokovski ; ***p. 84*** *toutes* © Photo12 / Alamy ; *fond de page* © Shutterstock / Arnd_Drifte ; ***p. 85*** *haut droite* © Eduard Erben / isifa-Getty Images ; *milieu droite* © Luke Aikins/DPA ; *bas gauche* © Euro Newsroom / epa / Corbis ; *bas droite* © Eduard Erben / isifa-Getty Images ; **KAPITEL 7** ***p. 87*** *haut gauche* © DFB- Bongarts / Gettyimages ; *haut droite* © Rauchensteiner-Augenklick / Gettyimages ; *milieu* © Rat Pack Filmproduktion ; *bas* © Frank Hoermann-SVEN SIMON / DPA ; ***p. 88*** *de gauche à droite, de haut en bas* © FC Bayern ; © DR ; © Shutterstock / Irina Fischer ; © DR ; © FC Bayern ; © Shutterstock / Alexander Chaikin ; ***p. 89*** *haut* © Shutterstock / Julia Gurevich ; *bas gauche* © DFB-Bongarts / Gettyimages ; *bas milieu* © Rauchensteiner-Augenklick / Gettyimages ; *bas droite* © Britta Pedersen / DPA ; ***p. 90*** *de gauche à droite* © El-Saqqa/firo-DPA ; © Shutterstock / bukley ; © Shutterstock / Debby Wong ; © Shutterstock / Debby Wong ; © Geisler-Fotopress / DPA ; ***p. 91*** *toutes* © DFB ; ***p. 92*** *de gauche à droite* © NDR Media ; © Guido Kirchner / Firo Sportfoto-DPA ; © Chad Ehlers / DPA - RTL Television ; © Britta Pedersen / dpa ; ***p. 93*** *haut* © DR ; © Hans Punz / epa-Corbis ; ***p. 94*** *haut* © Ursula Düren / DPA ; *milieu* © Rat Pack Filmproduktion ; *bas gauche* © BREUEL-BILD-ABB / DPA ; *bas droite* © Rat Pack Filmproduktion ; ***p. 95*** © Horst Galuschka / dpa ; ***p. 99*** © Elkin Cabarcas / DPA ; ***p. 100*** *toutes* © Buntrock / Nordiek www.landart.de ; ***p. 101*** *haut gauche* © Tobias Hase / dpa ; *haut droite* © Frank Hoermann-SVEN SIMON / DPA ; *bas gauche* © Rat Pack Filmproduktion ; *bas droite* © Studio Hamburg Enterprises GmbH / ZDF; p. 102 *toutes* © DFB ; **KAPITEL 8** ***p. 103*** *haut* © Shutterstock / Bildagentur Zoonar GmbH ; *milieu* © Ariel Skelley / Blend Images-Corbis ; *bas* © DFB / DPA ; ***p. 104*** *de gauche à droite, de haut en bas* © Shutterstock : S.Borisov / Boris Stroujko / Karel Gallas / vvoe ; ***p. 105*** *de gauche à droite, de haut en bas* © Shutterstock / armvector ; © Shutterstock / Bildagentur Zoonar GmbH ; © Shutterstock / wiwsphotos ; © Photo12 / Alamy ; © Holger Leue / Corbis ; © Shutterstock / Scirocco340 ; © Shutterstock / MicheleBoiero ; ***p. 106*** *milieu gauche* © Shutterstock / GorillaAttack ; *milieu droite* © Shutterstock / Alexander Chaikin ; ***p. 107*** *haut gauche* © Photo12 / Alamy ; *haut droite* © Patrick Seeger / DPA ; *milieu* © Movementway / age fotostock ; *bas gauche* © Katja Kreder / age fotostock ; *bas droite* © Peter Zimmermann / DPA ; ***p. 108*** *de gauche à droite* © Ariel Skelley / Images-Corbis © Shutterstock / Fotokostic ; © Sander / age fotostock ; © Carmen Jaspersen / DPA ; Image Source / Corbis ; ***p. 110*** *milieu* © Bernd Settnik / DP ; *bas* © Shutterstock / Voronin76 ; ***p. 111*** *de haut en bas, de gauche à droite* © Shutterstock / Elnur ; © Javier Larrea / age fotostock ; © Lederbrogen / Caro ; © Shutterstock : Bennyartist / Yuliyan Velchev / Tatiana Popova / 3drenderings / Robert Crum ; ***p. 113*** © Jens Kalaene / DPA © ; ***p. 114*** *dans le sens d'une aiguille de montre en commençant en haut à gauche* © DR ; © Holger Klaes ; © Sperling / DPA ; © kölnprogramm medienproduktion GmbH & Co. KG ; © Rainer Kiedrowski / DPA ; © Shutterstock / Mikhail Markovskiy ; ***p. 115*** *haut gauche* © DFB / DPA ; *haut droite* © Shutterstock / irin-k ; *milieu droite* © Annegret Hilse / DPA ; *bas gauche* © Bjoern Hake/Pressfoto Ulmer-DPA ; *bas droite* © Thomas Eisenhuth / dpa ; Annexes ***p. 118*** *gauche* © Interfoto / Akg-images ; *droite* © Akg-images.

Nous avons fait notre possible pour obtenir les autorisations de reproduction des images publiées dans cet ouvrage. Dans certains cas, nous avons cherché en vain les auteurs ou les ayants droits des documents. Leurs droits sont réservés aux éditions Hachette Livre. Dans le cas où des omissions ou des erreurs se seraient glissées dans nos références, nous y remédierons dans les éditions à venir.

PAPIER À BASE DE FIBRES CERTIFIÉES

hachette s'engage pour l'environnement en réduisant l'empreinte carbone de ses livres. Celle de cet exemplaire est de :
700 g éq. CO_2
Rendez-vous sur www.hachette-durable.fr

Achevé d'imprimer en Italie par Stige
Dépôt légal : Mai 2018 - Édition 02 - Collection n° 37
12/5678/3

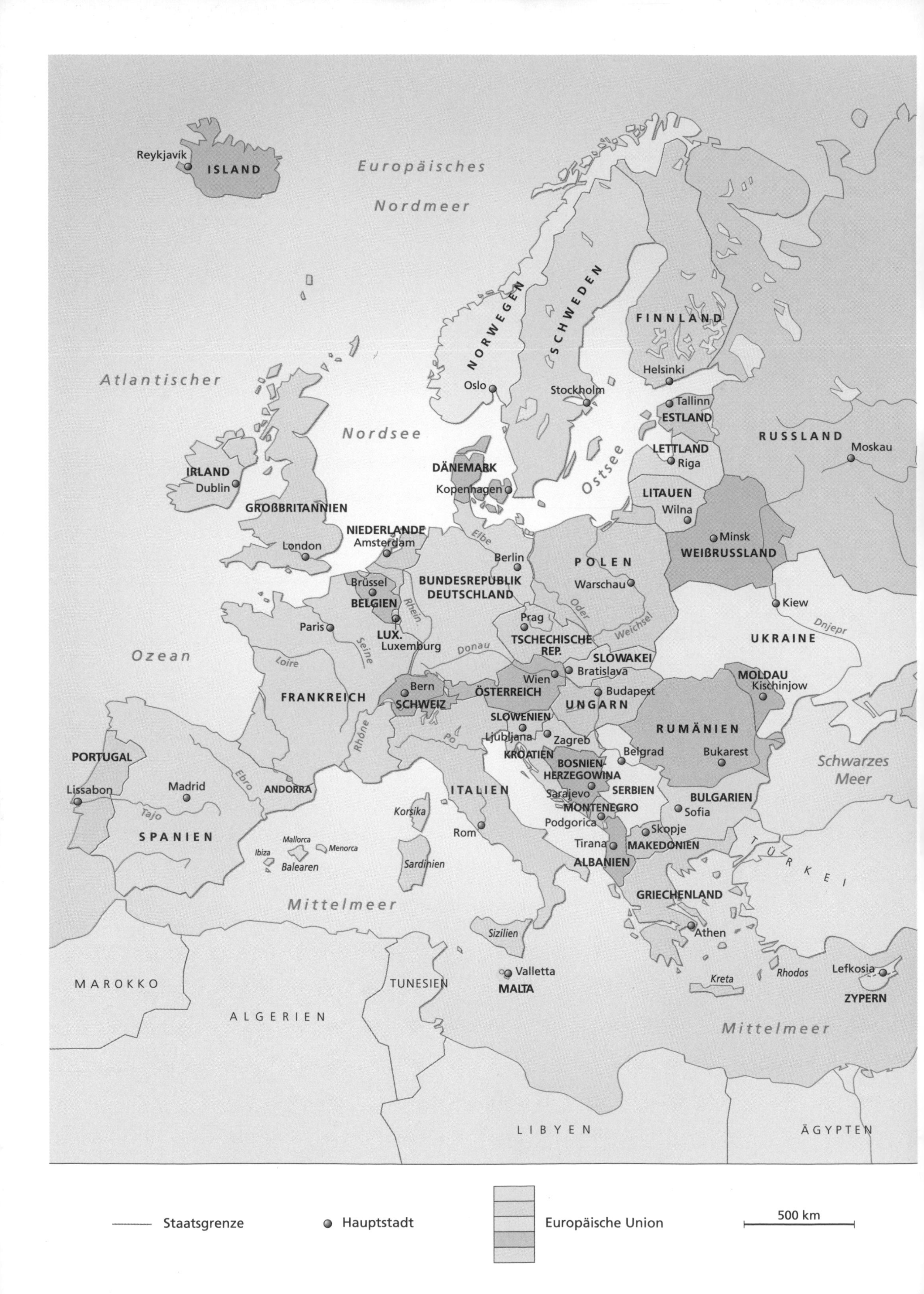

Europäisches
Nordmeer
Reykjavík
ISLAND
Atlantischer
Ozean
Nordsee
Ostsee
NORWEGEN
SCHWEDEN
FINNLAND
Oslo
Stockholm
Helsinki
Tallinn
ESTLAND
LETTLAND
Riga
LITAUEN
Wilna
RUSSLAND
Moskau
IRLAND
Dublin
GROßBRITANNIEN
London
DÄNEMARK
Kopenhagen
NIEDERLANDE
Amsterdam
Elbe
Berlin
POLEN
Warschau
Minsk
WEIßRUSSLAND
Kiew
Dnjepr
UKRAINE
Brüssel
BELGIEN
BUNDESREPUBLIK
DEUTSCHLAND
Rhein
Oder
Weichsel
Paris
LUX.
Luxemburg
Seine
Loire
Prag
TSCHECHISCHE REP.
Donau
SLOWAKEI
Bratislava
Wien
ÖSTERREICH
MOLDAU
Kischinjow
FRANKREICH
Bern
SCHWEIZ
Budapest
UNGARN
SLOWENIEN
Ljubljana
Zagreb
RUMÄNIEN
Rhône
Po
KROATIEN
Belgrad
Bukarest
Schwarzes
Meer
PORTUGAL
Lissabon
Madrid
Ebro
ANDORRA
BOSNIEN-
HERZEGOWINA
Sarajevo
SERBIEN
BULGARIEN
Sofia
ITALIEN
MONTENEGRO
Podgorica
Tajo
SPANIEN
Korsika
Rom
Skopje
Tirana
MAKEDONIEN
ALBANIEN
TÜRKEI
Mallorca
Menorca
Ibiza
Balearen
Sardinien
GRIECHENLAND
Mittelmeer
Athen
Sizilien
Valletta
MALTA
Rhodos
Kreta
Lefkosia
ZYPERN
MAROKKO
TUNESIEN
ALGERIEN
Mittelmeer
LIBYEN
ÄGYPTEN
Staatsgrenze
Hauptstadt
Europäische Union
500 km